Prince Ébène

DU MÊME AUTEUR

Victime et Bourreau (en collaboration avec Frédéric Brunnquell), Paris, Calmann-Lévy, 1989. Rééd. Presses Pocket, 1990.

Les RG sous l'Occupation, Paris, Olivier Orban, 1992.

L'Affaire Florence Rey, Paris, Raymond Castells, 1998.

Kife la violence (en collaboration avec Stéphane Bosano), Paris, Plon, 2001. Rééd. J'ai Lu, 2002.

Frédéric COUDERC

Prince Ébène

roman

Ouvrage réalisé
sous la direction éditoriale d'Alain NOËL

Si vous souhaitez être tenu(e)
au courant de nos publications,
envoyez vos nom et adresse, en citant ce livre,
aux Éditions des Presses de la Renaissance,
12, avenue d'Italie, 75013 Paris.
Et, pour le Canada,
à Vivendi Universal Publishing Services Canada Inc.,
1050, bd René-Lévesque Est,
Bureau 100,
H2L 2L6 Montréal, Québec.

Consultez notre site Internet :
www.presses-renaissance.fr

ISBN 2.85616.909.0

À mes fils Achille et Gaspard,
à nos escapades, La Bruyère en bandoulière…

« C'est que les voyages corrompent. Ils relativisent toutes choses et vident le monde de son sens. »

LA BRUYÈRE

L'intrigue de ce roman trouve son inspiration dans l'histoire vraie d'un prince africain qui vécut plus d'une décennie à la cour du Roi-Soleil. De ce personnage, les historiens ne savent pas grand-chose, sinon qu'il fut baptisé par Bossuet après son arrivée à Paris en 1688, que Louis XIV en fit son filleul en le prénommant Louis, et qu'il fut tour à tour courtisan et mousquetaire. C'est tout ? Oui. N'étant certain de rien, sauf de la vérité de l'imagination, pour paraphraser John Keats, je me suis autorisé à réinventer cet homme singulier. Pour commencer, je lui ai donné un autre nom : Anabia.

La suite ? Suivez-moi…

F. C.

Chapitre I

À boire pour mon enfant

Versailles, fin du XVIIe siècle

NE LA RÉVEILLEZ PAS, PRINCE ANABIA. SES CONTRACTIONS SONT DE PLUS EN PLUS VIOLENTES. Un p'tit somme, c'est toujours ça de pris sur la douleur.

— Elle souffre ?

— Pardi, vous ne l'avez pas entendue gueuler ?

Tassé sur un fauteuil de sa chambre, Anabia se sentait fragile et fatigué. Sa longue silhouette rabattue près de la fenêtre, il avait vu l'avorteuse introduire dans le sexe de la jeune fille un grand serpent en caoutchouc. Entre la paroi utérine et les membranes fœtales, elle avait versé un liquide afin de déclencher l'accouchement. Peu après, la demoiselle s'était endormie. Elle gémissait maintenant dans son sommeil.

Inquiet, de ses yeux verts qui transperçaient la pénombre, Anabia observait la faiseuse d'anges. La flamme d'un chandelier dansait sur son visage. Du regard, elle balayait la pièce. Elle détaillait la commode et le guéridon installés près de la cheminée. Elle s'étonnait de la tristesse et de l'austérité des lieux. Comment l'héritier d'un trône, fût-il d'Afrique, pouvait-il vivre dans un pareil dénuement ? Il n'y avait pas de tableaux aux murs, aucun lustre au plafond, pas le moindre tapis sur les tomettes. On était dans le Grand Commun, ce bouge de pierre rouge pourvu de trois étages, bien situé à quelques mètres des appartements de Louis XIV avec ses six cents chambres, ses suites, ses cuisines pour deux mille courtisans : l'antichambre, en somme, du plus éblouissant palais du monde ; mais, étonnamment, dans le réduit du prince d'Assinie, seul le feu qui crépitait dans l'âtre réchauffait l'atmosphère.

— Elle ne va pas mourir ? demanda le jeune homme timidement.

— Ce que j'en sais ! Avec ce qu'elle a bu, je ne réponds de rien.

— De rien ? Vous ne répondez de rien ? Mais elle s'est saoulée sur vos instructions !

— Mes instructions, parbleu, c'était qu'elle se tienne tranquille. Et la demoiselle était paniquée. Pas ma faute, à moi, si sa suite roupille à l'autre bout du couloir.

— C'est vous qui avez fouillé dans son ventre. Nous voulions le secret, c'est entendu, mais l'opération était sans danger, d'après vous.

L'avorteuse se planta face à Anabia. Ses lèvres se crispèrent jusqu'à disparaître. Il ne restait plus qu'une petite fente sur son visage. Très contrariée, elle haussa la voix :

— Mais écoutez-le ! Ça parle comme à la cour et ça oublie la vérité du proverbe ! L'Africain ne change point de peau, quoiqu'on le lave. Voilà ce qu'on dit à Paris. Si ce n'est pas malheureux de voir notre noblesse frayer avec ces indigènes !

Anabia se redressa d'un bond. Il ne voulait pas d'un enfant à Versailles. C'était entendu. On ne voyait aucun mulâtre à la cour. Mais de là à assister, impuissant, à la mort d'une femme dans son lit... La colère qui montait provoquait un sursaut d'adrénaline. Des deux mains, il saisit les poignets de l'avorteuse et siffla entre ses dents :

— Oui, je suis une brute, je suis une bête, je suis un Nègre. Méfiez-vous, je suis un gredin d'Afrique. Réveillez la jeune fille ou je file prévenir un médecin. Si elle meurt, je vous dénonce aux gardes suisses. Vous connaissez le sort réservé aux sorcières ?

L'avorteuse le toisa d'un air qui oscillait entre la surprise et la fureur. Brusquement prise d'une toux sèche, elle agita violemment sa tête d'avant en arrière. Anabia agrippa une poignée de ses cheveux, tira sur les racines, et approcha son visage si près d'elle que son champ de vision se résuma à une citrouille dont la bouche crachotait :

— Misérable singe. Je savais bien que ta couleur porte malheur...

— Va-t-elle vivre, oui ou non ? reprit Anabia d'un ton glacial.

La haine se lisait sur les deux visages. Aucun ne voulait se soumettre, mais, tout à coup, du coin obscur de la chambre où était placé le lit, un murmure répondit :

— Je vis.

Anabia se précipita au chevet de la jeune fille. L'avorteuse, en un mouvement inverse, recula à petits pas feutrés. Elle quitta la pièce. Elle avait été payée d'avance.

Un instant, la jeune fille se demanda où elle était. Puis, tandis qu'Anabia balayait d'une main fine la courbe de ses sourcils, elle se rappela qu'elle voulait vomir ce qui poussait à l'intérieur de son ventre. Elle était encore ivre, d'humeur hargneuse. Bien décidée à chasser de son esprit toute trace de regret, elle se remémora qu'elle était prise, que le scandale d'une naissance illégitime éclabousserait toute sa famille. Elle était grosse, grosse d'un homme noir. L'enfer personnifié !

Le paradis, aussi, car elle avait désiré Anabia au premier coup d'œil. Ils étaient voisins dans le Grand Commun. Ils avaient fait l'amour pendant plusieurs semaines. Longtemps, elle ne s'était pas alarmée du retard de ses règles. C'était chez elle une habitude. Mais après, quand quelque chose avait bougé, elle avait vite compris qu'elle ne pourrait mener la grossesse à son terme, quitte à abandonner l'enfant. Trop d'indiscrets médiraient après la délivrance.

Anabia s'était laissé faire. S'il venait à naître, la peau du bébé le désignerait, lui, seul Africain de la cour. Ne risquait-il pas d'être renvoyé à Paris ? En France, on buvait en tisane la rue, cette plante malodorante qui irritait la muqueuse et faisait jaillir le sang. La potion s'étant avérée inefficace, l'avorteuse s'était imposée.

Lorsque Anabia s'était avancé près du lit, la jeune fille avait reconnu la silhouette puissante, la démarche chaloupée, cette allure décidée d'où jaillissait une arrogance sensuelle. Rares étaient les corps vigoureux à Versailles. Il émanait de tous une lourde pesanteur. C'était exactement le contraire avec ce prince venu d'Afrique. Il était tout en hauteur, en vigueur, agité par une force anormale. Son visage fin, ses pommettes saillantes, ses lèvres ourlées diffusaient une étrange douceur. Elle n'avait jamais ressenti cette impression avant de le rencontrer. Cet apaisement agissait encore sur elle, aujourd'hui, malgré sa hargne.

Apeurée par l'écoulement d'un liquide gluant sur ses cuisses, elle glissa une main sur son pubis. Le sang, qui s'en écoulait en rigole, teintait les draps d'une flaque grenat. Pour endiguer la souffrance qui se déployait en vagues, elle se mordit les lèvres. Anabia lui tendit une bible qui traînait près du lit. Elle en mordit la tranche à pleines dents. Du plus profond de sa gorge, elle chassa un son rauque, et expulsa au creux du lit une forme d'un peu moins de dix centimètres.

Anabia, épouvanté, recula. Après un moment d'hésitation, il lorgna dans sa direction. La forme ressemblait à un petit animal écorché. À bien y regarder, pourtant, le visage, avec ses yeux et sa bouche bien dessinée, avait quelque chose d'humain. Le corps, lui, n'était qu'un fouillis d'où émergeaient de petits doigts.

Tremblant de toute sa carcasse, Anabia contempla pendant d'interminables secondes l'anatomie du petit être. Une idée lui passa par la tête. De quelle couleur était l'épiderme ? Il ne sut répondre. Très fin, celui-ci laissait voir par transparence les vaisseaux sanguins.

Impossible de dire s'il y avait là une réplique de sa peau. Enchaînant, il s'interrogea sur sa couleur, à lui. En Afrique, il se sentait noir, sans même d'ailleurs y accorder la moindre importance. Depuis qu'il était en France, il revendiquait une peau caramel, ou tabac, selon les goûts. Il ne pouvait être uniformément noir, aussi sûrement que personne, au royaume du Roi-Soleil, n'était véritablement blanc. Enflammé dans les campagnes, laiteux en ville, fardé dans les salons, gris souris chez les vieillards, le teint des visages était toujours colorié. Que dire de l'avorton ? Que dire des nuances de la chair de sa chair ?

Les hurlements de la jeune fille interrompirent brusquement sa méditation. Elle s'était redressée et contemplait, à son tour, le fœtus expulsé de sa matrice.

— Anabia, je t'en supplie, enterre-le, enterre-le. Baptise-le. Et oublie-moi.

Après un moment d'hésitation, Anabia enroula le fœtus dans un mouchoir. Comme délivrée par ce geste, la jeune fille respira plus calmement. Elle bâilla, posa sa tête sur l'oreiller et replia ses mains l'une sur l'autre dans une pose enfantine. Au repos, elle ferma les yeux.

Anabia dévala les escaliers du Grand Commun au risque de chuter. Il ne croisa personne dans le bâtiment. La cour était vide également, ce qui lui permit d'accélérer le pas en direction du parc, désert à cette heure avancée de la nuit.

La lune, en sa moitié dans un ciel limpide, éclairait parfaitement les bassins de Louis XIV. Anabia contourna l'Orangerie et pénétra dans un bosquet. Il s'assit sur un banc placé en face de la salle de bal.

Il avait froid et ne savait pas où aller. Il lui fallait réfléchir. Ses mains étaient glacées. Il fixa une cascade frappée d'une pellicule de gel. L'hiver était partout dans le paysage.

Il voulait faire le vide dans son esprit. Se débarrasser d'une puissance qui rugissait et détruisait tout sur son passage. Concentré sur un filet d'eau qui gouttait depuis la glace, il ranima en lui le souvenir des pluies chaudes d'Afrique. C'était toujours ainsi quand il était malheureux. À partir d'une sensation douloureuse, il basculait à son contraire, là-bas, sur les côtes d'Assinie, royaume dont il était le prince et où il avait vu le jour vingt-cinq années plus tôt.

Il se concentra si fort, retrouva si précisément le goût des pluies brûlantes sur son visage d'enfant qu'il ne sentit plus les morsures de l'hiver.

Des minutes s'écoulèrent. Soudain, pris d'une nécessité impérieuse, il se leva, dénoua le foulard et jeta un peu d'eau glacée sur le petit corps qu'il déposa à terre. Il joignit les mains en forme de prière. Après un court instant, il les entrouvrit en soufflant. Il entama alors une oraison, leva les yeux au ciel et psalmodia harmonieusement :

— *Anguioumé mamé maro, mamé orie, mamé chiké occori, mamé mamé chiké occori, mamé mamé akaka, mamé brembi, mamé angouan aounsan…*

Ce qui voulait dire en langue française : « Mon Dieu, donnez-nous aujourd'hui du riz et des ignames, donnez-nous de l'or et de l'aigri, donnez-nous des esclaves et des richesses, donnez-nous la santé, et faites que je sois léger et libre. »

La prière ne signifiait rien de particulier en cet instant. Elle s'était imposée à lui car c'était celle qu'il prononçait chaque matin en Afrique. Comme le lui avaient appris ses ancêtres, il finissait toujours sa supplique en renversant sur le sol quelques gouttes d'eau.

Pareil au Grec Pythagore, partisan de la métempsycose, théorie du passage de l'âme d'un corps à un autre corps, Anabia et son peuple croyaient à l'immortalité de l'esprit. Après la mort physique, l'âme s'évadait dans un autre monde, établi au centre de la Terre. Plus tard, sans qu'il ne soit possible de préciser où et quand, ce souffle des défunts animait un nouvel être humain dans le ventre d'une femme.

Ce va-et-vient, ce voyage invisible du centre de la Terre à son écorce, était célébré à chaque repas en Assinie. L'air de rien, d'un geste aussi discret qu'automatique, les gens du pays jetaient à terre quelques miettes d'aliments et un peu d'eau, pour les ancêtres qui languissaient dans les niveaux inférieurs de la couche terrestre. Et de la sorte, pour terminer son oraison, dans les frimas de Versailles, Anabia répandit quelques gouttes en murmurant :

— À boire pour mon enfant.

Son enfant ? Vraiment ?

Anabia fut interloqué par les paroles qu'il venait de prononcer. Pourquoi se fourvoyait-il dans de pareilles fadaises ? Revenant à ce qu'il considérait comme la raison, il regarda partout si on ne l'avait pas observé.

Mais qu'est-ce qu'il lui avait pris, nom d'un chien ? Comment, en si peu de temps, avait-il pu faire d'un fœtus sa progéniture ? C'était ridicule. Chacun, à la cour, se référait à saint Augustin, lequel distinguait l'*embryo informatus* de l'*embryo formatus*, celui qui avait reçu une âme.

« Allons, allons », se reprit Anabia. Il y avait un fœtus à ses pieds, un fœtus qui jamais n'avait été animé, et il fallait l'enterrer. Du calme, du calme : avant d'agir, il voulait réfléchir à ce qui venait de se passer. Il enveloppa le fœtus dans le foulard et reprit position sur le banc.

Il vivait en France depuis dix années. Dans le trouble de sa fuite, plutôt que d'implorer Jésus, il s'était tourné vers Anguioumé, le Dieu de ses ancêtres. C'était étonnant, car sa conversion au catholicisme avait été sincère. À son arrivée à Paris, deux années d'apprentissage avaient fait de lui un parfait gentilhomme. Un dominicain lui avait rendu visite chaque matinée dans sa chambre située dans le quartier de la porte Saint-Denis, sous le toit du vieux couple qui l'hébergeait, monsieur et madame Barbier, marchands de perles liés à la Compagnie de Guinée.

En sus de l'enseignement de la langue française, des sciences, des subtilités et des règles en vigueur à la cour, Anabia avait été initié aux mystères de la foi chrétienne. Au fil du temps, il avait découvert comment la prière unissait l'homme à son créateur. Sans explication possible, une grande lumière s'était faite dans son esprit. Il avait désiré recevoir le plus vite possible le sacrement du baptême. Bossuet, attaché de toutes ses forces à la conversion des hérétiques, avait dirigé la cérémonie en l'église Saint-Sulpice. Quelques jours plus tard, en présence de madame de Maintenon, il avait reçu la communion des mains du cardinal de Noailles, archevêque de Paris. La scène lui avait ouvert en grand les portes de la cour.

Pendant ses deux premières années à Paris, il n'avait pas existé autrement que pour ses protecteurs, gens de la Compagnie de Guinée qui l'avaient mené en France. Brusquement, il était devenu une attraction. Les bals s'étaient enchaînés. Il avait gagné en assurance et cessé d'être le simple spectateur d'un théâtre en mouvement. Il avait décroché un rôle, celui du courtisan exotique.

Prince d'un royaume minuscule, mais prince tout de même, il s'était fondu dans la meute en respectant attentivement les usages. Il avait été de toutes les processions, de toutes les réjouissances. Bon danseur, solide noceur, cavalier téméraire bien que maladroit, il avait vite remarqué qu'une adorable rougeur couvrait le visage des femmes à son apparition. Vite, il avait sauté d'un lit à l'autre.

Débarrassé de sa timidité, il avait voulu montrer qu'il ne connaissait pas la peur. Gratifié d'une charge de sous-lieutenant du roi, il pouvait se flatter du titre de gentilhomme et porter l'épée du chevalier. Par une singulière fatalité, les rouages administratifs de Versailles s'étaient grippés. Son titre, bien que confirmé au sommet de l'État, n'avait pas fait de lui un mousquetaire. Il n'avait jamais participé aux manœuvres militaires. Son emploi d'officier, symbolique, se limitait à la salle où il croisait le fer.

Sourire perpétuellement accroché aux lèvres, il laissait croire qu'il ne doutait jamais. Ses yeux de chat et son port de tête altier – à cela point d'effort, ce maintien lui était naturel – renforçaient son assurance.

Bien qu'il eût beaucoup lu, son accent légèrement chantant lui interdisait, par crainte des moqueries, de se lancer dans de longues discussions. À la place, il jouait de sa carcasse. Il pavanait. Il laissait deviner ses muscles saillants sous la veste et les collants.

Il jouait à une espèce d'affrontement pacifique face à l'homme blanc, sur la terre de l'homme blanc, devant une foule d'hommes blancs. Il y avait de l'exhibition dans son attitude. Comme un mauvais genre parfaitement maîtrisé.

Naturellement, il s'était caché pour échapper aux maris jaloux. Et il avait échappé de justesse à quelques duels.

Voilà le rôle qu'il tenait à la cour. Celui d'un paon en parade.

Le corps bouillant d'excitation, mais les ongles durs comme la pierre, Anabia se leva du banc. Le froid le plongeait dans un étrange état de stupeur, comme si son cerveau n'était plus irrigué. Néanmoins, il se rendait compte qu'il fallait bouger, ne serait-ce que pour éviter une patrouille.

Le bassin de Latone l'attira. Animé par des jeux d'eau, le chef-d'œuvre du Roi-Soleil était menaçant. Au repos, la fontaine égarait sa poésie, sa puissance, ressemblant à un banal récipient. Anabia contempla attentivement les grenouilles qui figuraient les paysans face à la Fronde. Il se moquait éperdument des métaphores royales et faisait un effort démesuré pour se rappeler ce que les batraciens évoquaient chez lui.

Son discernement refit surface. La grenouille, il l'associait au bœuf, à ce monsieur Jean de La Fontaine qui maniait la morale en piquant ses victimes plus sûrement qu'avec l'épée. La fable ne s'appliquait-elle pas à lui-même ? N'était-il pas ridicule, en pleine nuit, face à Latone, perché sur ses hauts talons ? Que faisait-il, depuis toutes ces années, sinon se faire plus gros que le bœuf ?

Il tourna le dos à Latone et emprunta l'allée royale en direction du Grand Canal. Il fallait une dizaine de minutes pour relier les deux points. En chemin, il se sentit de nouveau tourmenté.

Il était las, fatigué de concilier l'inconciliable. Depuis qu'il était à Versailles, il enfilait une perruque sur ses beaux cheveux crépus. Il se maquillait le nez, le front, les joues, avec une poudre parfumée qui lui donnait non seulement un teint blafard, mais encore un air efféminé. Il s'accoutrait de longs justaucorps à basques, alors qu'il affectionnait le torse nu, lui dont les jambes d'enfant s'étaient épanouies sous le pagne.

Il allait vite alors que la lenteur dominait tout son être. Il s'enthousiasmait aux sorbets délicats, lui qui aimait le millet pillé, arrosé de lait de brebis, et dont même les chiens affamés des campagnes de France, il en était certain, n'auraient point voulu. Eh oui, petit prince, il dévorait les sauterelles, épaisses, aussi grosses qu'un pouce, après que les femmes les avaient fait sécher au soleil !

Ce souvenir lui arracha un rire. Dans l'élan d'une gaieté retrouvée, oh ! d'une très fugitive gaieté, il porta la main à sa poitrine. Sous l'épaisseur des vêtements, sous son col fermement boutonné comme l'exigeait l'étiquette, était entremêlées la croix de son baptême et le grigri qu'il tenait de son père.

Le talisman, qui se disait *bunga* dans son pays, était une statuette en bois de trois centimètres représentant un enfant. Au-dessus de la masse ventrale jaillissaient deux gros yeux en amande. Le nez était plat, la bouche féroce laissait voir deux dents acérées, et tout le visage était strié par des griffes.

Jésus et Anguioumé étaient complices sur son torse. Il n'y avait que lui pour créer une si mystérieuse alliance. Il sourit de nouveau, prenant conscience que ses pas l'avaient déjà conduit au Grand Canal, lorsqu'un cri le fit sursauter :

— Qui va là ?

Il sentit un poids énorme écraser sa poitrine. Deux gardes s'avançaient dans sa direction. Pris de panique, il songea à s'enfuir dans les bois. Un reste de lucidité l'avertit qu'il déclencherait une alerte générale et une course-poursuite à l'issue incertaine. La main qui renfermait le foulard tremblait comme une feuille. La peur devait se lire sur son visage. Et si les soldats l'arrêtaient sur-le-champ ? Il n'y avait qu'une seule solution. Il jeta l'avorton dans le Grand Canal.

À l'approche des deux hommes, il se redressa et prétendit en exécutant sa révérence :

— Prince Anabia. Je suis en promenade, mon médecin me recommande l'air vif de la nuit avant le coucher.

C'était aussi simple que cela. Les deux hommes ne prirent même pas la peine de répondre. Ils saluèrent d'un bref mouvement de la tête et poursuivirent leur ronde le long du canal.

Anabia sentit monter en lui une immense colère contre lui-même. Qu'avait-il fait, mon Dieu ? Il décrétait le sauve-qui-peut devant deux gardes en goguette. Il se plaçait là, lui qui espérait servir Sa Majesté sur les champs de bataille. Quel sang-froid !

Ses souliers lui devinrent si insupportables qu'il décida de regagner sa chambre pieds nus. Au point où il en était, il essuierait sans mal les moqueries. Sa corne plantaire, autrefois rugueuse, s'était ramollie. Le contact des graviers agissait en brûlure jusqu'à son cœur. Cependant, il aima avoir mal.

Dans son lit, aidé par la mauvaise eau-de-vie de l'avorteuse, il pensa à la jeune fille. Elle avait regagné son appartement. L'affaire ne l'avait pas traumatisée. Sa réputation était sauve. Anabia l'éviterait à l'avenir. Il ne voulait plus jamais pénétrer son sexe-cercueil.

Il voulait se reposer car la journée du lendemain promettait d'être riche en émotions. Le chevalier d'Amon l'avait invité à chasser le loup dans les forêts de Versailles.

Avant de sombrer dans le sommeil, l'image des eaux paisibles du Grand Canal occupa toutes ses pensées. Une question l'obséda.

Mais quel était ce monde, ce monde où il jetait un fœtus, *son* fœtus, aux truites affamées ?

Chapitre II

La mort du loup

DEPUIS QU'IL VOYAGEAIT EN AFRIQUE, LE CHEVALIER D'AMON NOURRISSAIT DU MÉPRIS pour ses habitants. À chaque retour d'expédition, il parcourait Versailles en répétant son dégoût pour des peuples qu'il qualifiait de semi-humains. Les corps, surtout, l'obsédaient. Avec une délectation malsaine, il revenait en permanence sur leur transpiration, ce « fumet de Nègre » disait-il, qui l'écœurait et le plongeait dans une rage folle.

Ce jugement s'appliquait naturellement à Anabia.

En baie d'Assinie, quand le jeune prince avait embarqué à bord du navire qu'il commandait pour le compte de la Compagnie de Guinée, une officine créée par Colbert et dont il était un membre influent, d'Amon avait éprouvé une aversion immédiate pour son nouveau passager. Chacun, à bord, s'était accordé à trouver Anabia simple et bon enfant. Le chevalier, lui, ne voyait qu'un visage effronté, un sous-homme juste bon à servir comme esclave.

Cependant, depuis ce jour, il était obligé de tricher. Le roi d'Assinie avait confié à la Compagnie de Guinée le prince le plus brillant de sa cour. Louis XIV projetait de bâtir un fort sur ces rivages autrement baptisés Côte d'Or. On parlait conversion, également, et l'affaire s'était engagée par la métamorphose d'Anabia en gentilhomme.

La guerre, dont les feux étaient allumés partout en Europe, retardait la conquête d'Assinie. Mais d'Amon ne doutait pas que Sa Majesté ordonnerait un jour à ses négociants de se lancer dans l'aventure. Anabia serait alors son homme pour exploiter les mines d'un filon gigantesque...

En attendant, il le préservait de ses persiflages. À la cour, il l'enrobait même des illusions d'une amitié. Il l'avait invité ce matin à une chasse qu'il organisait. Il le reçut à bras ouverts :

— Bienvenue, prince Anabia, susurra le chevalier. Voici ma cousine, la comtesse Marguerite de Caylus, qui fait cette semaine son entrée à la cour.

Anabia était ébranlé par les événements de la veille, mais la beauté de la jeune femme le surprit et l'éblouit. Avec ses cheveux clairs, ses grands yeux, ses lèvres pleines et son nez fin, elle était tout simplement ravissante. Anabia, émerveillé, louchait du visage à la poitrine rebondie sous l'habit de chasse.

— Madame, prononça mécaniquement Anabia, nous sommes bien aise de vous savoir parmi nous. Hélas ! le gris du petit matin peine à s'imposer à la nuit.

Le chevalier d'Amon réprima un soupir et coupa Anabia dans son banal propos climatique :

— Allons, nos montures nous attendent, et l'équipage s'impatiente. Monsieur, frère du roi, devait participer à la battue. Il s'est décommandé, entraînant à sa suite la désaffection de toute la famille royale.

— Alors, il n'y a ici que de la petite noblesse ? persifla la jeune femme en toisant la dizaine de courtisans déjà en selle un peu plus loin.

— Et vous êtes la seule femme, cousine. Méfiez-vous, la chasse au loup a le don de plonger les mâles dans une grande excitation.

Souriant à s'en fendre la figure, le chevalier d'Amon s'approcha de Marguerite de Caylus. Il murmura à son oreille quelque chose qui la fit rougir. Relevant la tête, elle sourit à Anabia. Confus, celui-ci se détourna. La comtesse grimpa sur son cheval. Son vêtement effilait toutes ses formes. En quelques secondes, les chasseurs confluèrent autour d'elle. À l'éclat de ses yeux et la moue de sa bouche, on voyait bien qu'elle ne pouvait résister au bonheur de plaire.

Un géant guida sa monture auprès de celle du chevalier d'Amon. Le regard d'Anabia parcourut longuement les mains de cet homme, les doubles des siennes, tandis que celui de Marguerite de Caylus s'attardait sur les cuisses, celles d'un taureau.

Le colosse s'appelait Zabel et dirigeait, à Versailles, la louveterie royale. Dotée d'un équipage de seize personnes, cette institution s'employait à massacrer les loups dans les forêts où Louis XIV courait le cerf, le sanglier et le daim. Sur ordre, elle pouvait même envoyer des détachements sur les points du royaume ravagés par ces bêtes.

Zabel passait pour avoir tué plus de mille loups pendant trente années d'une guerre acharnée contre cette espèce. Il portait ses cheveux gris noués comme un pirate. Les balafres qui striaient son visage ne signaient pas des blessures, mais des trophées. Se battre était son occupation favorite. Le chevalier d'Amon l'admirait. Anabia s'en méfia instinctivement.

Hautain, le chevalier s'adressa au jeune prince, tandis que Zabel réglait les derniers préparatifs :

— Ainsi, prince d'Assinie, vous chassez le lion en Afrique…

— On le combat, on le redoute aussi, car on lui reconnaît le titre de seigneur.

— Eh bien, vous allez nous montrer vos qualités. Le tueur du loup empochera une prime. Pourquoi pas vous ?

— Oh ! défier la bête, ce gros chien, ne m'inspire aucune crainte, dit Anabia en réprimant un léger tremblement. Pour moi, le risque le plus grand est de tomber de cheval.

La sincérité d'Anabia plut à Marguerite de Caylus. Elle eut aussi pour effet de déclencher des commentaires perfides parmi les courtisans. Mais les saillies cessèrent d'elles-mêmes sans qu'Anabia eût à déplorer aucune égratignure. La troupe revint au loup.

— Tous les coups sont permis contre lui, affirmait l'un.

— Et plus encore si c'est une femelle. J'ai dans mes sacoches des viandes truffées d'hameçons. Si je l'approche, je lui balancerai ça dans les mâchoires, se vantait l'autre.

Anabia attendait avec impatience le début de la chasse. La forêt qui s'étendait partout aux environs de Versailles lui inspirait une certaine crainte. Il la vivait comme un univers dru, impénétrable, dotée de pouvoirs magiques. Plongée dans la pénombre, elle renvoyait à d'indéfinissables puissances du Mal. La savane, avec ses serpents et ses éléphants nerveux, était tellement plus sereine...

Un agréable parfum de bois, mélange de fourrés touffus, de fouillis de ronces, d'épines et d'ajoncs, modifia sa perception. D'Amon, qui encourageait l'équipage à voix haute, le tira de son angoisse :

— Notre doux Zabel a bien travaillé avec son piqueur. À l'aube, il a pris trois chiens qu'il a lancés contre le loup, ou plutôt la louve. Notre spécialiste l'a débusquée, il est formel, c'est une femelle, une costaude, qui ne sortira pas de la forêt. Cousine, messieurs, à nous la prisée.

Zabel et ses chiens avaient usé la louve depuis trois heures. À leur tour, les cavaliers et la meute pouvaient s'élancer. Juste avant le départ, d'Amon poursuivit :

— Entre tous les animaux sauvages, le loup est le plus méchant. C'est celui qui fait le plus de mal. Il mérite d'être couru, chassé et halé par les chiens et les hommes. Équipage, en avant !

Marguerite de Caylus s'élança la première. Elle portait admirablement l'habit de chasse, constata Anabia. Ses fesses haut perchées la faisaient ressembler à une statue africaine.

On partit à bride abattue. Très vite, d'Amon recommanda de passer au trot, plus propice aux subtilités de la piste. En queue de cortège, Anabia se retrouva à proximité du maître fauconnier. L'oiseau, dressé sur le poing, recevait des caresses portées avec une aile de pigeon. Docile, il attendait son heure. Le regard d'Anabia passa du poing ganté au visage du fauconnier. S'apercevant qu'on le dévisageait, il s'approcha.

— Prince Anabia, vous courez le loup pour la première fois ?

— Oui, je suis très excité. Cette méchante bête doit mourir au plus tôt, mentit l'Africain.

— C'est aussi l'avis de mon faucon. Il trépigne. Je vais devoir lui autoriser une chasse pour calmer ses ardeurs.

— C'est-à-dire ?

— Lorsqu'il était plus jeune, j'ai sacrifié pour le nourrir des petits chiens de lait, en sus des chats et des souris hachées. Il est avec nous, car je veux lui faire goûter du loup. Mais j'ai peur qu'il ne s'impatiente.

— Vous voulez dire que vous nourrissez votre oiseau avec le soin d'un cuisinier ?

— Parfaitement. Rien n'est trop beau pour mon faucon. Dans mon cabinet, j'ai tous les remèdes en cas de maladie. Les oiseaux de proie aiment surtout les herbes, la menthe sauvage et les épices. C'est un sacré travail, les faucons. Sans cesse, il faut les panser, tailler le bec, ou protéger une aile blessée dans un combat. Voyez ces chiens qui s'agitent. Ne croyez-vous pas qu'il existe une grande distinction entre les animaux de terre, collés à la boue, et ceux de l'air ?

Anabia ne répondit pas. Il ne s'était jamais posé cette question. Le fauconnier enchaîna :

— Les oiseaux de proie sont frères des hommes. Aussi intelligents et cruels. Les faucons sont les anges des hommes. Les hérauts de leur domination sur la nature. Hélas ! je ne sais jamais si mon faucon reviendra d'une chasse. Et lorsque je le vois fendre le ciel, je prie toujours pour son retour.

Anabia écoutait avec envie cet homme lié à son oiseau. Depuis son arrivée en France, jamais il n'était parvenu à s'éprendre d'une bête. Cela lui manquait. Il avait passé toute son enfance au contact d'animaux sauvages ou domestiques.

La meute courait à ses côtés. Le cérémonial des chasses était une occupation bien réglée à Versailles. Le faucon avait ce privilège de donner la mort avec noblesse, en perçant le ciel d'un geste céleste et foudroyant. Au chien valeureux revenait le travail de force, dans l'ordre et la discipline, afin que l'homme, à son tour, portât le coup mortel. Ce protocole, si bien codé, faisait l'admiration du prince d'Assinie.

Mais où se cachait la louve ? L'équipage parcourait les bois depuis deux heures. Anabia soupçonnait d'Amon d'ajouter des embûches à la traque pour faire durer le plaisir. Il jouait avec le temps, c'était certain. Chez le chevalier, il y avait ce refus, commun à tous les chasseurs, d'en venir trop vite à la capture. L'exécution du loup serait l'aveu de sa puissance. Il voulait une mort spectaculaire. Le délice d'une agonie atroce.

L'ennui pointait dans le cortège. Pour l'interrompre, les cavaliers lançaient deux par deux des galops. À la traîne, Anabia se trouva opposé au fauconnier. Encombré par son oiseau, il dédaigna la course.

Après quatre heures de chevauchée, la plupart des cavaliers retournèrent bredouilles à Versailles. Ils étaient convaincus que la bête sauvage était loin. Repus, les loups pouvaient parcourir vingt, voire trente kilomètres pour déjouer la traque des hommes.

Marguerite de Caylus faisait un signe à son cousin pour signaler qu'elle-même allait s'en retourner, lorsque ce dernier entendit quelque chose.

C'était un bruit presque imperceptible ; Anabia l'avait saisi, lui aussi. Le chevalier leva la main. Au même instant, à vingt mètres devant le cortège, la tête, puis le corps tout entier de la louve surgirent d'un bosquet. C'était un animal magnifique. La forme de son ventre indiquait qu'elle portait des petits. Son pelage était d'un blanc irrégulier, comme moucheté de grains de sable semés sur une peau d'argent. L'animal fixa un court instant les chasseurs immobiles, puis détala d'un bond extraordinaire. La course était lancée.

Zabel, en mettant pied à terre pour calmer les nerfs de ses chiens, perdit l'occasion de s'illustrer. Anabia et le chevalier d'Amon lancèrent leur monture bien en avant du reste de l'équipage. La meute les poursuivait.

Les deux cavaliers s'enfoncèrent dans une allée profonde. L'occasion d'aller plus vite encore. À dire vrai, jamais Anabia n'avait poussé aussi rapidement un cheval. D'Amon, lui aussi, en rajoutait. Il voulait être le premier à capturer la bête. Et cela valait bien le risque de heurter, de face, une branche qui aurait eu le mauvais goût de se placer sur son chemin.

Ils galopaient depuis plusieurs lieues lorsque d'Amon revint à lui. Personne ne les suivait plus. La louve s'était cachée au plus profond d'un taillis, laissant ses poursuivants dans la trajectoire linéaire de deux cavaliers de l'apocalypse.

En silence, les traits marqués par sa défaite, d'Amon fit demi-tour. Anabia le suivait de près quand trois chiens esseulés, tirant la langue, vinrent se perdre dans les pas des chevaux.

— Que se passe-t-il donc ? fit Anabia en appuyant sa question d'un regard incisif.

— Les chiens ont cessé de chasser et sont revenus d'eux-mêmes les uns après les autres, répondit d'Amon en triturant les cheveux de sa perruque, signe d'une grande nervosité chez lui. Il est évident que la louve est sur sa fin. Elle tourne les pieds alors que, tout à l'heure, elle partait la tête haute.

L'assurance exprimée par d'Amon masquait un doute profond. L'obscurité grignotait les derniers rayons du jour. Si rien n'arrivait bientôt, il rentrerait à Versailles dans les habits d'un homme vaincu. On le moquerait, c'était certain. Lui, l'homme qui avait dominé tant d'océans, de quoi aurait-il l'air ?

Rassemblant les restes de sa lucidité, il revint sur ses pas au ralenti, à la recherche d'une trace. Les chiens, déboussolés, talonnaient le duo en bavant comme des fontaines.

Un miracle se produisit pour d'Amon. Et une erreur fatale pour la louve. Réfugiée dans un taillis, elle avait tranquillement regardé passer les hommes et les chiens. Les deux jambes dressées, les griffes enfoncées dans la terre, elle était parvenue à retenir son souffle. Avait-elle mal apprécié l'éloignement qui la séparait de ses ennemis ? Orgueilleuse, s'était-elle décidée à défier d'Amon une dernière fois ?

Sortant de sa cachette, la louve apparut à une centaine de mètres du duo. Un chien, flairant quelque chose, fut le premier à se retourner, suivi des cavaliers, qui firent demi-tour. La course-poursuite reprit de plus belle, mais pour quelques minutes seulement car, devant la louve, surgit un groupe d'officiers, parmi lequel figuraient Marguerite de Caylus et Zabel. Surprise, encerclée, la louve se jugea immédiatement perdue.

Plutôt que de s'enfuir en un dernier baroud, elle fut rapide à s'asseoir. Le chien le plus hardi de la meute – Anabia apprit plus tard qu'on le nommait Jason, un clin d'œil à son appétit pour la toison d'or, pour le pelage des loups – attaqua en solitaire. Chacun retint son souffle avant l'assaut final. Le massacre, sans autre forme de procès.

Anabia ne pouvait croire que la louve allait mourir en martyre, stoïque face à ses bourreaux. Pourtant, immobile, se laissant mordre des pattes à la gueule, la bête ne répondait pas au chien enragé. La fin semblait proche quand soudain l'affrontement redoubla. Le ventre de la louve, déchiré, laissa entrevoir une matrice pleine de quatre louveteaux, à qui il ne serait jamais donné de naître.

À la grande surprise de tous, l'animal meurtri émit une plainte atroce ; puis un cri de guerre terrifiant ; un râle glorieux qui fit trembler Marguerite de Caylus. Chacun loua le corps de l'animal sauvage tant il était superbe. « Celui d'un lion », songea Anabia.

Pendant quelques secondes, on ne put distinguer qui, de la louve ou du chien, menait la bataille. Un mélange confus de poils, de bave, de sang, de merde, formait une chose compacte d'où émergeaient huit pattes et deux têtes.

La boule, puisque c'était ainsi qu'on se représentait les adversaires, roula sur plusieurs mètres pour arrêter sa course sous l'encolure du cheval de Marguerite de Caylus. Anabia sentit le danger avant même que la jeune femme ne lançât un cri. Si la monture ruait, elle risquait de se retrouver à terre et, de là, jetée en pâture aux bêtes déchaînées.

Un court instant plus tard, la louve prit par la gorge le molosse. Elle le terrassa dans sa gueule brûlante. Anabia estima que cet instant de victoire, et donc d'inattention, lui offrait une occasion unique de maîtriser la bête avant la catastrophe. Il sauta à terre et se rua, main nue, au cou de la louve.

De peu, ses mains évitèrent les mâchoires carnassières. À son tour, il soufflait comme un bœuf, distribuant coups de pied, coups de poing, progressant à genoux, tête baissée, dans le ventre de l'animal.

Passez-lui le manche du fouet dans la gueule ! entendit-il au loin.

C'était d'Amon, très excité, qui prodiguait ses conseils en se gardant bien d'intervenir.

Marguerite de Caylus hurla de toutes ses forces. Si personne ne se portait au secours d'Anabia, et elle mesurait combien les hommes en présence se réjouissaient de la lutte, on raconterait plus tard, de la cour de France au royaume d'Assinie, que la forêt de Versailles, la traîtresse, avait abrité le dernier soupir d'un prince d'Afrique.

C'était un sanctuaire anachronique. Marguerite de Caylus menaça de sauter de son cheval si aucun brave ne se faisait connaître. Elle entendit aussitôt Zabel dire : « Je prends les courroies des selles, je vais la bâillonner, pour l'avoir vivante », et redouta qu'Anabia ne se relevât blessé.

Immobile, prisonnière des liens, la louve considéra l'assemblée. Puis elle se coucha et lécha lentement le sang répandu sur ses babines. Ses yeux, grands ouverts, passaient de Marguerite de Caylus à Anabia, de Anabia à Marguerite de Caylus. Plus rien de furieux n'éclatait dans son regard. Il y avait juste un calme incroyable, fixé dans des prunelles baignées de larmes et de tristesse.

Anabia s'appuya contre le flanc de son cheval. Les mouvements de lumière, les bruits, les odeurs composaient un ensemble flou de sensations. Il avait envie de s'écrouler sur place. Ses jambes ne le maintenaient au sol que par miracle. Il reprit conscience, frappé par l'idée que la louve n'avait voulu aucun mal à Marguerite de Caylus en se jetant sous elle, mais, plutôt, qu'elle cherchait une protection. Il voulut l'expliquer à la jeune comtesse. Puis il se ravisa. Horrifiée, la bouche ouverte, elle était inatteignable. Il se contenta d'écouter sa respiration sifflante.

Un genou plié à terre, d'Amon palpait d'une main gantée les formes de la louve. Il fit savoir que la bête était grosse de plusieurs semaines, ce qui expliquait probablement son acharnement à se défendre. Zabel vint auprès de lui :

— J'ai besoin de ce loup vif pour dresser mes chiens. On pourrait lui coudre les lèvres avec du fil de cordonnier. Les petits seront utilisés eux aussi au dressage…

— Tu n'y penses pas, éructa d'Amon. La louveterie royale permet à Sa Majesté de chasser en paix cerfs et sangliers. Elle n'est pas là pour épargner les monstres.

— Oui, dans le loup, rien de bon, sinon la peau, reprit un officier. Tuons le Mal, tuons le loup.

— Le loup est d'autant plus redoutable qu'il est fécond, justifia encore d'Amon. Il peut engendrer au bout d'un an. Les louves ont une portée par an. Il y en a de quatre louveteaux, mais aussi de sept, huit, et même neuf. Toute louve peut avoir dans sa vie de cinquante à soixante petits. Sans relâche, notre devoir est de les massacrer.

Il fallait faire vite. Dans moins d'une demi-heure, la nuit tomberait. Tous les cavaliers se mirent en cercle. Les piqueurs essayaient, à l'aide de la voix et du fouet, de contenir la meute.

— Non ! Ne livrez pas ce pauvre animal aux chiens ! cria Anabia.

Un moment de stupeur suivit cet appel. Quoi ? Mais que voulait dire Anabia ? Épargner l'animal ? Le relâcher pour sa bravoure ?

Portée par un visage dur, mais une voix douce, Marguerite de Caylus le houspilla :

— Ce loup m'a menacée, il m'est donc accordé. Après l'hallali, nous devons avoir la curée. Elle restitue aux chiens leur part sanglante dans la chasse. Prince Anabia, vous ne pensez tout de même pas contrevenir à cet ordre naturel des choses. Faites comme nous, profitez du spectacle qui s'ouvre sous nos yeux, car voici la mêlée qui s'engage.

— Mais…

— Comprenez, prince Anabia, il est trop difficile, voire impossible, d'arrêter si tard les dispositions de la chasse.

Anabia écouta attentivement Marguerite de Caylus décrire le protocole des chasses royales. Comment lui expliquer qu'à son avis la louve l'aimait, elle, seule femme parmi les chasseurs ?

La bête était pleine, il fallait l'épargner, du moins c'est ainsi qu'il aurait agi face à une lionne dans la savane. Une mère doit mettre au monde ses enfants, non ?

Face aux exclamations des officiers répétant en boucle que cette chasse était la plus vive, la plus émouvante, en un mot la plus belle des chasses à laquelle ils avaient jamais participé, Anabia préféra se taire. Peut-être qu'il mélangeait tout, aujourd'hui et hier. Qui était-il pour donner des leçons ? Les petits, lui, il les balançait dans le Grand Canal...

Des cuivres s'élevèrent dans un ciel gris de cendre. Jamais l'expression entre chien et loup n'avait sonné aussi juste. Un piqueur leva la patte du loup et la haine vint sur la bouche de Marguerite de Caylus. Elle encouragea Zabel à lâcher la meute. L'ardeur des chiens était à son summum. La trompe résonna pour la ruée.

À plusieurs, les chiens saisirent la gorge de la louve. Ils l'étranglèrent dans un déchaînement d'aboiements et de cris stridents. Ô, douleur de l'animal sauvage ! La ripaille pillait un corps tressaillant, tiqué de la gueule à la patte dans d'atroces souffrances.

Un instant, Anabia crut lire dans l'œil encore ouvert de la bête, l'autre étant déjà dévoré. Il y avait quelque chose de bon, de fondamentalement bon dans ce regard qui crevait. L'échange subsista quelques instants, à peine une seconde, mais Anabia eut l'impression que Versailles, des grilles du château aux jardins, aurait pu être élevé le temps de cette vision.

Quand le cœur de la louve lâcha, Anabia pensa que la bête allait enfin reposer en paix. Mais non, pas encore : les chiens se battaient entre eux pour se disputer les morceaux de choix.

Le soleil s'était couché derrière la forêt. Il ne restait plus de l'animal que sa charpente osseuse. Pas le moindre lambeau. Tout avait été dévoré et fait squelette.

Le cortège se mit en route. Anabia, en retrait, tremblait de tout son être. Ce n'était pas la fièvre, ni même le froid, auquel il ne prêtait aucune attention. Il sentit un souffle sur lui, des picotements partout. À l'extrémité de sa conscience, il éprouva un sentiment familier, un sentiment qui lui rendait visite en Afrique : une petite voix qui cherchait son oreille. Il perçut un courant d'air, puis une présence dans son dos. Il se retourna brusquement, mais il n'y avait rien, rien, sinon la croupe du cheval qui se balançait lentement sur le chemin du retour.

Devant lui, il sentit encore ce souffle. Furtivement, il entrevit une nuée de papillons blancs qui ondoyaient dans l'air. Puis son cœur se souleva dans sa poitrine. En lieu et place de la forêt, en avant du cortège, une rivière noire s'écoulait paisiblement. Il entendit sa propre respiration, puis le murmure d'un autre monde. Il crispa ses doigts sur les rênes. Les bras le long du corps, il décida d'écouter ce *quelque chose* qui était avec lui. Un souffle rauque et froid récita :

Ah ! je t'ai bien compris, sauvage voyageur,
Et ton dernier regard m'est allé jusqu'au cœur !
Il disait : « Si tu peux, fais que ton âme arrive,

Jusqu'à ce haut degré de stoïque fierté
Puis après, comme moi, souffre et meurs sans parler. »

La voix expira. Le courant d'air qui l'avait secoué fut aspiré au-delà de la rivière noire. Un bref instant, il vit des poussières qui ondulaient dans la lumière. Puis une force invisible lui frappa la tempe. Incapable de réagir à ce choc virtuel, il se concentra pour réfléchir. Il retrouvait la forêt devant lui. Sa mémoire se fixait sur les séances des marabouts de son pays, quand ils entraient en transe et conversaient avec les morts.

Hagard, Anabia retrouva l'équipage. Jusqu'aux grandes écuries du château, le hasard le fit trotter à proximité de Marguerite de Caylus.

À lui, le sauvage qui sans doute n'entendait rien au monde, mais avait bien voulu risquer sa vie pour la sauver, il convenait de raconter encore, d'un air badin, la splendeur des chasses royales. La comtesse expliqua que le temps des grandes battues était révolu à Versailles. Louis XIV, engourdi par la goutte, préférait désormais le tir. Autrefois, il concevait ses traques comme des spectacles de luxe et de galanterie. Vivre en roi, pour lui, c'était vivre en chasseur. Chasser, c'était monter des meutes de valeur inestimable, cavaler sur les plus beaux chevaux de la terre, puis se reposer dans des carrosses et des calèches dorés.

Marguerite de Caylus continua son exposé sans se soucier du visage d'Anabia fixé sur les nuages épais qui dominaient la forêt. Il y avait toujours une collation au centre des beaux carrefours désignés pour le lieu de l'assemblée, disait-elle. Les coureurs avaient été créés pour porter le pain et le vin partout où le roi chassait. Les officiers du gobelet étaient chargés du linge de table et de la vaisselle. La haquenée était établie pour transporter les viandes et les rôties.

C'était la belle époque. Une époque bénie, à en croire la foule de vieillards qui promenaient leurs cadavres dans les jardins et les salons de Louis XIV. Si Anabia les avaient écoutées, ces faces reptiliennes dévorées par les rides, il aurait décliné la partie de chasse du chevalier d'Amon. Mais Anabia était comme tous les jeunes gens de Versailles. Enfant, il prenait par la main les ancêtres de son village. Depuis qu'il vivait au palais, il se détournait des vétérans.

Chapitre III

Parader devant le Roi-Soleil

RR, RR, RRR, RRRR… MÈ-RRRE, PÈ-RRRE, VERRR-SAILLES…

De retour dans sa chambre, Anabia se livrait à un exercice de prononciation. Le *r* n'existait pas en Afrique. Malgré toutes les années passées à la cour, son français butait encore sur la consonne. Quelle tête ferait la belle comtesse de Caylus s'il s'avisait de l'appeler « Ma-gue-ite » ?

Précisément, alors qu'il répétait, ses pensées s'envolaient en direction de la jeune femme. Le sourire qu'elle lui avait adressé aux écuries enflammait son imagination. Ce souvenir, banal en soi, effaçait la cruauté des dernières vingt-quatre heures. C'était étrange. Anabia s'étonnait de son inconstance. Pourquoi le visage de la comtesse était-il à ce point inscrit dans son esprit ? Depuis toujours il vivait à l'instinct. Quelque chose, il le sentait, allait se nouer. Dès ce soir ? Son flair l'avertissait d'une imminence. Une force mystérieuse l'attirait.

Il y avait « Grand Appartement ». L'expression, cryptée, désignait ces soirées où le roi ouvrait ses salons à la cour. Autour de collations, les courtisans se retrouvaient pour écouter de la musique et se divertir à toutes sortes de jeux. Marguerite de Caylus serait-elle visible ? Se poser la question revenait à déloger cette tenace envie de regagner l'Assinie. Anabia reprenait espoir. Il allait se préparer.

À un kilomètre à vol d'oiseau, au même instant, dans une aile du palais, Marguerite de Caylus accommodait son allure aux tyrannies de la dernière mode. Elle s'était facilement remise des aventures de l'après-midi et se laissait habiller par les deux servantes de sa suite. Elle ne voyait aucune épreuve dans la soirée qui s'annonçait. À vingt et un ans, elle avait déjà affronté de nombreux périls.

Orpheline de mère, elle avait été kidnappée à l'âge de quinze ans par sa tante, qui n'était autre que madame de Maintenon. Son père, zélé protestant, officier de la marine royale, avait résisté toute sa vie aux tentatives de conversion de la très bigote épouse secrète de Louis XIV. De guerre lasse, celle-ci avait procuré au navigateur une lointaine mission pour l'éloigner du domaine familial. Livrée à elle-même, la jeune fille ne s'était pas méfiée des deux mousquetaires qui l'avaient entraînée au château de Saint-Germain. À destination, un prêtre lui avait donné l'ordre d'abjurer sa foi. Elle n'avait accepté qu'à une seule condition : qu'on la prive de fouet.

Protégée de la « reine », la jouvencelle avait été mariée au comte de Caylus, un courtisan abonné au

« beau vice », pratique fort répandue à la cour, dont, s'offusquait la princesse Palatine, « tellement de jeunes et beaucoup de vieux sont entachés, qu'il n'y a que les gens du commun qui aiment les femmes ». Tandis que son mari s'ébrouait dans les bosquets des Tuileries ou du Luxembourg, Marguerite, à présent de Caylus, avait été confiée à sa belle-mère, qui résidait près du Louvre. Jusqu'à sa récente apparition à Versailles.

Loin de sa marâtre, Marguerite de Caylus s'apprêtait dans la joie. Elle était persuadée qu'elle vivait les heures les plus heureuses de son existence. Certaine de sa beauté et de son esprit, elle allait plaire au roi, chercher les compagnies et dédaigner son époux. Quel miracle que celui-ci lui ait donné un fils ! L'enfant de trois ans n'était guère encombrant. L'ayant placé en nourrice dans une ferme relativement proche de Versailles, elle lui rendait visite une fois par mois.

Dans un miroir, la jeune comtesse s'assura de son apparence. Elle se surprit à douter. Était-elle vraiment si belle ? Mais quelle idée… Un rire aigu chassa au loin son embarras. Elle quitta sa chambre pour le salon en récitant à voix haute :

— Malheur à vous, qui riez maintenant, car vous connaîtrez le deuil et les larmes.

— Luc, livre VI, épître 25, répondit la voix d'un homme assis au coin du feu.

Au seuil de la pièce, Marguerite de Caylus fixa son cousin en silence. Le chevalier d'Amon était son aîné de dix ans. Comme son père, il avait embrassé une carrière dans la marine royale. En bon capitaine de brûlot, il s'était honorablement acquitté de nombreuses missions en Afrique et aux Amériques. Le pays d'Anabia était pour lui une contrée mythique gorgée d'or. De tous les champions de la Compagnie de Guinée, c'était lui qui se voyait le mieux aux commandes d'Assinie.

Maintenant qu'elle vivait à la cour, Marguerite de Caylus observait ses semblables avec un regard neuf. Elle détailla l'allure de son cousin et lui trouva un genre provincial. Quand il lui rendait visite autrefois, drapé des mystères réunis de l'Afrique et de Versailles, il la divertissait. Près de l'âtre, il apparaissait dans sa réalité. Le charme était rompu. Pour un peu, elle lui aurait même trouvé un air pathétique.

Le visage était long. Le nez, crochu, étonnamment haut perché, évoquait un bec de perroquet. Les sourcils formaient de lourdes arcades broussailleuses. Dessous, des yeux d'un bleu marmoréen soulignaient la profondeur des cernes, véritables cavités comme enlisées dans les pommettes. Le menton, allongé, se promenait dans le vide par à-coups méthodiques. Il marquait une brutalité assumée, un caractère habitué au commandement. Et que dire de la silhouette, digne d'un grand échalas ? Elle attirait le regard par sa maigreur, sa ligne noueuse, ses os saillants, qui faisaient dire aux esprits les plus moqueurs qu'on ne savait jamais s'il était de face ou de profil. Marguerite de Caylus n'allait pas jusque-là. Un pied de vigne sur deux bambous, voilà ce qu'elle imaginait en examinant son cousin.

— Ainsi, vous êtes venu m'attendre, feignit de se réjouir la jouvencelle.

— Je craignais que des loups ne vous attaquassent d'ici la galerie des Glaces, plaisanta le chevalier, laissant découvrir ses dents grises et abîmées.

— Oh ! ne vous moquez pas, j'ai eu vraiment peur. Sans ce prince d'Afrique, nul ne sait ce qui serait arrivé.

— Mais… vous croyez véritablement qu'il vous a sauvé la vie ?

— Dans l'équipage, personne n'a eu le courage de se porter à mon secours. Et ce n'est pas votre Zabel qui s'y serait risqué…

— Enfin, c'est qu'il n'y avait point de raison. La louve était prise. Anabia a agi à l'image de tous ces diables d'Afrique. Ces Nègres dépassent toujours la mesure. Ils ne savent pas se tenir. Ils ne sont qu'extrémité. Anabia est comme ses frères. Il se jetterait tête baissée dans une marmite d'huile bouillante.

— Cousin, vous admettez alors qu'il y avait danger.

— Pour lui, oui. Pour vous, non !

— Qu'en savez-vous ?

— Qu'importe, cousine, mais puisque vous semblez porter un intérêt à ce prince, je vais vous confier le plus beau projet de mon existence. Je vous propose d'être mon acolyte. Je vous propose de vous couvrir d'or. De tant d'or que vous allez vous moquer des appointements de monsieur votre mari. Une femme riche est une femme libre, chère cousine.

— Allons bon ! Et quelle est votre formule magique ?

— Anabia !

— Anabia ?

— Parfaitement. Son royaume regorge de richesse. Les mines sont si abondantes qu'on m'a assuré que deux cents hommes, en une journée, pouvaient remplir d'or six coffres d'un pied en carré chacun.

— Très bien. Mais les gens du pays sont-ils disposés à vous le céder, cet or ?

Contredit, le chevalier d'Amon se redressa devant sa cousine. Il prit une mine théâtrale et souffla bruyamment :

— Ils n'en font pas de la monnaie comme nous, mais des ornements pour servir à leur parure. Lorsqu'il est en réjouissance et qu'il a bu du vin, le roi d'Assinie étend sur une grande natte le contenu de plusieurs coffres remplis de poudre d'or. Mais il est idiot. Ils sont tous idiots, vous dis-je. Les Nègres échangent l'or contre n'importe quoi.

— Par exemple ? s'enquit Marguerite de Caylus.

— Des fusils, de la poudre, des bassins de cuivre, des verroteries de peu de valeur, des petits draps de lit usés, des serges bleues, de l'eau-de-vie, diverses étoffes de coton léger, répondit le chevalier qui, emporté par sa propre faconde, en postillonnait d'excitation.

Il enchaîna, franchement hilare :

— Le plus fort reste le sel. Eh oui, nous pouvons échanger de l'or contre du sel, ce sel que les autres Nègres qui sont dans les terres préfèrent à tout autre bien, parce qu'il leur sert à conserver leurs aliments.

— Comme c'est étrange ! N'ont-ils aucune idée de la valeur des choses ? demanda Marguerite d'un air un peu dégoûté.

— En toute occasion, cousine, les gens de ce pays sont étranges. Vous seriez surprise de voir un royaume dont le chef est un paysan qui va lui-même au marché acheter du poisson, ou une banane, qu'il marchande plus longtemps que ne le ferait le dernier de ses esclaves. Les villes ne sont faites que de roseaux. Les bateaux sont construits d'un seul arbre, les peuples négocient sans écritures, marchent sans habits, et vivent tantôt sur les rivières comme des poissons, et tantôt dans des trous comme les vers.

— J'ai compris, mais que me proposez-vous ?

— Je veux m'assurer de la fidélité d'Anabia. Dès que Louis XIV ordonne la campagne d'Assinie, je l'embarque dans mes soutes et, sitôt en Afrique, je le place sur le trône. Mais, d'ici là, j'ai besoin de me l'attacher. Cousine, dans cette affaire, vous devez être mon alliée. Devenez l'amie d'Anabia et avertissez-moi de ses états d'âme.

Marguerite de Caylus voulut se jeter sur son cousin, lui renvoyer ses postillons en lui hurlant à la figure qu'elle n'était pas à vendre. Mais elle se reprit. Allons, elle était à la cour, et combien de jeunes femmes cédaient au manège de l'influence ? Résolue à jouer, avec le chevalier d'Amon comme avec tous les autres, elle s'exprima avec une vanité extraordinaire, exactement comme si un sorbet glacé encombrait son palais :

— Votre projet, cousin, revient à me demander de me conduire en putain !

D'Amon sursauta. Il se reprit :

— Loin de moi cette idée. Soyez sa confidente, cela est bien assez. Et le moment venu, précipitez-le dans mes bras.

— Sous cet angle, bouda Marguerite. Nous verrons. Mais suffit. Je prends votre bras. Guidez mes pas.

En chemin pour la galerie des Glaces, Marguerite de Caylus et le chevalier d'Amon croisèrent un nombre incalculable de soldats, les uns gardes suisses, les autres gardes français. Ils portaient leur habit d'apparat, arborant un chapeau de feutre noir orné d'une plume blanche, une casaque rouge brodée d'argent, des bas blancs et des souliers noirs vernis à boucle d'or. Un mousquetaire, rencontré un peu plus loin, exhibait un justaucorps bleu et des bottes noires scintillantes. Épuré des frous-frous à la mode, l'habit signait simplement la puissance.

Indifférente à la bienséance, la jeune femme se retournait sans cesse, s'attirant les remarques de son cousin : « Pressons, Pressons. » Le chevalier était gêné, mais surtout impatient de franchir la cour de Marbre où s'ouvraient les appartements du roi.

Un capitaine des gardes examinait les courtisans au seuil d'un immense vestibule. Empli d'orgueil, d'Amon toisa l'officier et conduisit sa cousine au pied d'un escalier à double rampe. Marguerite prit son temps devant le spectacle qui, pour la première fois, lui était offert. Chaque détail de cette pièce était extraordinaire. Elle remarqua d'abord les murs marquetés et le sol marbré. Puis les prunelles de ses yeux se dirigèrent d'une fontaine au-dessus de laquelle trônait un buste énorme représentant le roi à une peinture en trompe l'œil qui figurait des Indiens emplumés, des Turcs à turban et des Africains en pagne. Décidément... Elle s'arrêta sur cette image et songea furtivement au prince Anabia. D'autres œuvres symbolisaient la gloire du roi sur les champs de bataille. Marguerite sentit la main de son cousin qui tirait sur sa manche. Il fallait grimper à présent. Elle était au pied du fameux escalier des ambassadeurs.

Ces marches étaient un passage obligé pour les diplomates reçus par Louis XIV. Elles dégageaient une force terrible. On retenait son souffle en les grimpant, bien conscient de monter au ciel, ou quelque chose comme ça. Silencieuse, Marguerite de Caylus surmonta l'épreuve. Elle traversa une vaste salle, s'engagea dans le Grand Appartement, et se retrouva assez vite aux abords du plus vaste salon jamais édifié pour un roi. Une rumeur se rapprochait. Bientôt, le vacarme fut assourdissant.

— Cousine, ouvrez l'œil, dit d'Amon.

À l'autre extrémité de la galerie des Glaces, l'épée au côté, dominant la foule d'une bonne tête, Anabia jouait des coudes au cœur d'une cohue épouvantable. Tiraillé par l'envie d'apercevoir Marguerite de Caylus, il avait relégué aux oubliettes l'agonie de la louve.

Incapable de fixer son attention, il leva les yeux au ciel. De la voûte immense pendaient quatorze lustres monumentaux de cristal et d'argent. Il regarda le plus loin possible. Il y avait au total dix-sept arcades de miroirs où se démultipliaient les reflets de la foule. Plus près de lui s'étalaient des mobiliers d'argent massif composés de guéridons, de tables pesant chacune quatre cents kilos, de bancs et de chaises. L'argent était partout. Il ornait les pendules, les vases, et même les cache-pots. Les grands rideaux blancs étaient tous rehaussés d'or.

Un couple se cogna contre Anabia, le dévisagea, et se détacha dans un mouvement de panique. Il était habitué. À son contact, il y avait toujours des gestes brusques et incompréhensibles. Après toutes ces années à Versailles, la raison aurait voulu qu'il n'intriguât plus. C'était exactement l'inverse. Il était considéré comme une anomalie. À la réserve de ses maîtresses, Versailles bondissait au simple contact de sa peau noire. Comme il aurait bondi devant un babouin.

Pris de vertige – jamais en Afrique il n'avait connu semblable promiscuité –, Anabia se réfugia sur les côtés de la galerie, dans les niches où étaient placées les plus belles statues antiques de la collection royale. Autour de lui, des courtisans étaient occupés à discourir de choses sérieuses, du moins le prétendaient-ils.

On était en guerre face à l'Europe coalisée depuis des années. Les ennemis de la France catholique préparaient de nouvelles batailles à grand renfort de soldats amassés sur les frontières. Il y avait peu d'argent dans les coffres. Le contrôleur général était un incapable. La famine, doublée d'un froid polaire, s'abattait sur les campagnes françaises. Mais la cour ne manquait de rien. Versailles ne souffrait que de courants d'air.

Deux jeunes mousquetaires démobilisés s'ancrèrent près d'Anabia. Ils ne l'avaient jamais vu, s'imaginaient probablement que leur voisin appartenait à cette espèce d'ambassadeurs exotiques incapables de saisir un traître mot de langue française. Ils glosaient à rebours du commentaire officiel.

Que disaient-ils ? La vérité ! L'hiver était rude ? Et alors ? C'était relâche, il fallait en profiter. Le printemps promettait la gloire militaire, peut-être, mais surtout la mort, les blessures, les maladies, la fatigue, en bref, les difficultés en tout.

Sur les champs de bataille, la jeunesse payait un lourd tribut de sang. En attendant, pourquoi perdre du temps en galanterie ? Les mœurs étaient rudes. Les dames, portées par la crainte que les jeunes héros ne disparussent, taisaient leur vertu. Certaines affichaient ouvertement leur mépris de la religion. L'ironie était reine. Les générations précédentes ne comprenaient plus rien.

Anabia, curieux en tout, écoutait avidement les jeunes gens. Il adorait cette manière de se conduire. Il se retint de prendre dans ses bras les deux mousquetaires. Le geste était impossible à Versailles, il le savait cruellement. On ne manifestait pas son amitié à la cour. On ne se touchait pas en public à Versailles. Pour un Africain, ce comportement était très étonnant. Dans les villages d'Assinie, les contacts entre corps n'étaient pas accidentels. Caresser, palper, était signe de confiance. De même que les visages pouvaient se rapprocher lorsqu'une conversation était importante.

Au début de sa vie en France, Anabia agissait comme il l'avait toujours fait, en se penchant près du nez de son voisin, preuve de sa sincérité. Il inspirait un tel dégoût, et il était taraudé par une telle envie de s'acclimater, qu'il avait fini par respecter la bonne distance de un mètre avec ses interlocuteurs. De toute façon, hormis peut-être les Barbier, ce vieux couple sans enfant qui l'avait hébergé à son arrivée et qui lui témoignait une tendresse presque filiale, il n'avait pas d'amis, à peine des complices de jeux, de chasse, ou des camarades d'armes qui aimaient sa force et son agilité lorsqu'il croisait le fer. Cela suffisait à remplir les jours. Mais, souvent, il crevait de solitude.

Rigide et sévère sous sa mantille, drapée dans une robe couleur feuille morte, madame de Maintenon interrompit le bavardage des jeunes gaillards en position devant Anabia. Le prince d'Assinie n'avait pas vu venir la « reine », qui fendait la foule comme

Moïse les flots. Les mousquetaires furent stupéfaits quand « Madame XIV », de sa voix martiale, fit résonner la voûte :

— Votre partie de chasse a marqué les esprits. Suivez-moi, le roi veut vous voir.

La dame n'aimait pas triompher dans la galerie. Il fallait obéir, et vite. Anabia s'élança, suivi à sa traîne par une nuée de courtisans.

Héritier d'un trône, le prince d'Assinie chérissait Louis XIV d'un amour sans bornes. Il avait fini par croire que les monarques formaient une grande famille à l'échelle de la Terre. En retour à son titre et à son affection, le Roi-Soleil lui avait donné le nom de Louis, l'authentifiant, en quelque sorte, au rang de neveu. Hélas ! l'« oncle » était peu visible. Occupé aux affaires du royaume et de la guerre, il avait oublié sa promesse faite à Anabia de l'intégrer chez les mousquetaires.

Anabia était tiré de l'oubli par la partie de chasse. Ce corps à corps glorieux avec le loup le faisait rejaillir de la meute de courtisans.

Louis XIV agissait avec eux comme avec ses fontaines. Pendant ses promenades, les tuyauteries laissaient passer un jet franc, mais quelques instants seulement, le temps qu'il admire le chef-d'œuvre. Sitôt tourné le céleste séant, le mécanisme était verrouillé. Alors, tout aussi brusquement qu'elle avait giclé, l'eau disparaissait, en forme d'aspiration, dans un hoquet un peu sourd. Anabia allait s'élever, briller même, avant d'être siphonné dans les boyaux de la cour. Chacun savait ça. Mais chacun crevait de jalousie.

On s'immobilisa devant la porte des appartements royaux. On attendait. La grande affaire, à Versailles, était d'attendre. La cour était bâtie sur cette seule occupation. La capacité de chacun à attendre ne faisait plus débat. C'était l'ordre des choses. Guetter, frôler Louis XIV valaient tous les sacrifices, car loin de lui, disait-on, « on n'est pas seulement malheureux, on est ridicule ».

Le murmure fit soudain place au silence, imposé par des coups de bâton. La porte s'ouvrit à deux battants aux cris de : « Le Roi ! »

Il y eut un silence oppressant. Les corps s'échauffèrent, au point de dégager une formidable combinaison de parfums et de transpiration. Enfin Louis XIV apparut, avachi sur sa canne.

Malgré sa perruque brune et ses hauts talons rouges qui le grandissaient de vingt-six centimètres, Anabia trouva une fois de plus le Roi-Soleil bien petit. À chaque apparition, il se faisait la même observation. Il ne parvenait pas à se faire à sa taille, et à son âge. Sa Majesté était très vieille, près de soixante hivers à son calendrier. Elle tourna vers Anabia son nez bourbon. Le prince d'Assinie s'inclina avec élégance.

— Eh bien, monsieur le prince d'Assinie, lança Louis XIV depuis son visage boursouflé, eh bien, on m'a rapporté la chasse du jour. Il n'est pas fréquent de voir ici un homme se battre à main nue contre un loup. Agissez-vous toujours ainsi dans votre pays ?

Dans l'élan d'une joie extravagante, Anabia s'avança près du monarque. Les courtisans remarquèrent qu'il était vêtu à la dernière mode. Son long justaucorps à basques laissait paraître des manches courtes se terminant sur un poignet débordant. Ses poches étaient soulignées de galon d'or, et sa cravate impeccablement nouée en un nœud large. Anabia esquissa une nouvelle révérence, jeta son chapeau à terre et arc-bouta ses phrases sur des *r* appuyés :

— Je suis le fils d'une tribu courageuse d'Afrique. On chasse le lion ainsi, et je suis heureux d'avoir diverti Sa Majesté.

Un lourd silence s'appesantit sur l'assemblée. Anabia ne sentait pas les yeux des courtisans si curieusement attachés sur lui. Louis XIV cherchait manifestement quelque chose à ajouter. Il y avait trois mille bouches à nourrir à Versailles, et autant d'esprits à occuper pendant les digestions. Le monarque savait à merveille divertir ses courtisans en leur offrant de quoi alimenter les conversations.

— Ces gens d'Afrique, si courageux, ont-ils des corps spéciaux pour affronter ainsi les bêtes sauvages ? susurra le roi entre ses mâchoires jaunies et infectées.

La question était aimablement posée. À la cour, cela suffisait à modifier la destinée d'un homme.

— Ils sont bien proportionnés, plutôt grands, et d'une agilité sans pareille, chantonna un Anabia soudain léger, plus Français qu'Africain. Tous les jours, le peuple d'Assinie se frotte le corps avec un mélange d'huile de palme et de charbon pilé. Ce qui rend leur peau luisante, délicate et unie comme la glace. Ils ont, comment dirais-je, l'aspect des statues antiques dont raffole Sa Majesté.

— Et les femmes ? Décrivez-moi leur corps, marmonna le roi d'un air entendu.

— Elles sont bien faites, elles aussi, et coquettes, enchaîna Anabia. Elles sont sans cesse occupées devant un petit miroir à accommoder leurs cheveux en cent façons différentes. Comme vêtements, elles portent des pagnes aux couleurs éclatantes, rouges, bleus, et rayés de toutes sortes… Et tout cela pour plaire aux hommes. Mais attention : elles craignent leur mari qui a le pouvoir, si elles sont convaincues d'adultère, de leur couper la tête.

Anabia pensait tenir son effet. Il marqua une pause, puis enchaîna en balayant sa perruque d'un geste maladroit :

— L'amant peut aussi bien perdre la sienne. À moins qu'il ne dédommage le mari lésé…

À Versailles, les mœurs tenaient une place dominante dans les conversations. Anabia était certain de retenir l'attention royale avec cette évocation du libertinage africain. En réponse à sa tirade, Louis XIV rit faiblement. C'était une manière de congédier le prince d'Assinie. Le monarque était passé à autre chose. Il posa sa main sur la tête d'Anabia. À cet instant, le chevalier d'Amon, qui aimait jouer les audacieux, se jeta à l'eau :

— Sire, pouvons-nous envoyer des navires en Assinie ? L'or nous attend…

Je verrai, répondit le roi en s'éloignant.

La réponse du roi, commode, n'engageait personne. Ce « je verrai » retentissait depuis des années à la cour.

Les minutes à la gloire d'Anabia étaient passées. Un courant d'air, et hop ! il était de nouveau aspiré dans la populace. Le chevalier d'Amon sortit de son justaucorps un mouchoir brodé de dentelle et s'en épongea le front. Puis, penchant le crâne, il lança une grimace pleine de fiel au prince d'Afrique, se demandant s'il avait bien l'intention de retourner un jour dans son pays, lui qui semblait si joyeux de se pavaner à Versailles.

L'échange entre Louis XIV et Anabia n'avait pas échappé à Marguerite de Caylus. Tandis que les courtisans s'éparpillaient dans la galerie des Glaces, laissant le héros du jour seul et cloué sur place, elle se présenta droit devant lui, les lèvres joyeusement retroussées sur une dentition éclatante.

— Alors, prince Anabia, à peine fêté, déjà abandonné ? commença-t-elle d'un ton enjoué.

Anabia crut lire dans le visage de Marguerite une véritable complicité. Non, elle ne se moquait pas. Elle paraissait heureuse de se retrouver face à lui.

— Madame, disons que je ne cherche pas la compagnie. La solitude est la rançon de mon exil. Mais j'aime Versailles, et je m'accommode de cet état.

— Comme je vous comprends. J'ai moi-même quitté ma province et ma famille. Je suis devenue femme, j'ai eu un fils, et pourtant je traîne encore un puissant sentiment d'abandon.

— Mais votre mari... On dit partout que le comte est très amoureux de vous. Cela devrait combler votre solitude.

— Oh ! Je ne me soucie pas qu'il m'aime, je me soucie de ce qu'il soit mon époux, répondit Marguerite en se rappelant un mot de mademoiselle de Blois. Et cela lui est difficile. Il trouve son bonheur dans l'alcool et la guerre. Ça, on peut dire qu'il n'est pas embarrassant. D'ailleurs, ce soir, il a disparu. Je crois qu'il a préféré une autre réjouissance, ailleurs, dans le palais.

Les yeux dans le vague, elle préféra se taire. Après tout, Anabia était un inconnu. Pas question de se montrer trop familière. Pour changer de sujet, mais plus encore pour quitter cet état d'immobilité qui rend le courtisan aussi pétillant qu'une carpe, Marguerite de Caylus suggéra de marcher un peu. Elle ne montrait pas d'empressement à se séparer d'Anabia. La Petite Galerie était en vue quand Anabia désigna un salon attenant. Il invita Marguerite à s'asseoir. Sous une arcade, il poursuivit :

— Je suis content de pouvoir vous parler. C'est étrange, j'éprouve de l'amitié pour vous alors que nous ignorons tout l'un de l'autre.

— Vous vous trompez, prince Anabia. Moi, je vous connais. Mon cousin m'a parlé de votre histoire. Il a de l'affection pour vous...

Troublée, Marguerite acheva net sa repartie. La voix chafouine du chevalier d'Amon s'insinua dans son esprit : « Soyez sa confidente, cela est bien assez. Et le moment venu, précipitez-le dans mes bras. »

Marguerite se reprit. Guillerette, elle proposa :

— Accompagnez-moi au jeu.

La jeune femme expliqua combien elle aimait ce divertissement, et l'excitation qu'il procure. Certains lui reprochaient de ne pas avoir les moyens de cette distraction. Qu'importe. Une discipline de fer régnait sur les courtisans. Il fallait bien se défouler. Dans un grand désordre, Marguerite parla encore du hoca, ce jeu interdit à Paris sous peine de perdre la vie.

Par goût du risque, et du paradoxe, elle aimait passionnément cette discipline italienne, importée au temps de Mazarin, qui consistait à miser sur un tableau divisé en trente cases, et qui pouvait rapporter des gains faramineux, jusqu'à vingt-huit fois la mise. Les joueurs étaient insensés, jurait la jeune femme. L'un hurlait, l'autre frappait la table du poing, tandis que le troisième, trivial, blasphémait à s'en dresser les cheveux sur la tête. Cela paraissait incroyable, poursuivait Marguerite, mais le jeu de madame de Montespan, un soir, était arrivé à un tel excès qu'elle avait perdu cent mille écus.

Les jeunes gens se retrouvèrent dans un salon dévolu à une partie de lansquenet, ce jeu de cartes introduit au royaume cent ans plus tôt par des mercenaires allemands. Marguerite de Caylus prit place à l'extrémité d'une table saturée d'hommes. Elle tendit la main à Anabia en le priant de bien vouloir se tenir juste derrière elle. Le jeu pouvait commencer.

Délicate jusque dans la manière d'abattre ses cartes, la comtesse charmait son monde en multipliant les sourires et les bons mots. Anabia était ébloui par ses manières, irradié même, car elle lui adressait de nombreuses marques d'attention, vérifiant sans cesse s'il se tenait bien derrière elle, en lui donnant une petite tape sur la cuisse. En réponse, il affectait l'indifférence, le buste bien droit et le regard à l'horizontale.

Dominant son monde d'une bonne tête, Anabia observait la foule du salon. Nombreux étaient les courtisans qui ne souhaitaient pas se mêler aux joueurs. Ils étaient là en voyeurs, obéissaient à un ballet parfaitement bien réglé, qui les conduisait d'une table à un buffet, d'un buffet à une table. Ils dégustaient d'excellents vins, avec retenue et propreté. Ils pillaient les trois grandes dessertes avec distinction et détermination. Le buffet du milieu était réservé au café et au chocolat. Les deux autres offraient les liqueurs, les sorbets et les eaux de plusieurs sortes de fruits. Le service était assuré par des hommes vêtus d'un justaucorps bleu orné de galons or et argent. On les retrouvait également derrière les tables de ceux qui se livraient au « trou Madame », où ils distribuaient les cartes, les jetons et épargnaient aux joueurs la fatigue de compter.

Vers dix heures, Marguerite de Caylus décida de regagner son appartement. Elle fit signe à Anabia de la suivre. Arrivé dans la cour de Marbre, le duo se figea un instant, incapable de donner une suite à l'épisode qu'il venait de vivre.

Anabia osa le premier. Il proposa une promenade pour le lendemain. Marguerite de Caylus fut surprise, mais accepta d'une voix neutre, comme si sa décision n'engageait à rien. À son tour, elle décréta que le plus sûr, pour échapper aux commérages, et surtout le plus drôle, était de se retrouver loin du château, dans un manège abandonné au-delà de la grille des matelots. Elle fournit à Anabia les indications géographiques nécessaires et prit congé de lui d'un signe de la tête. En réponse, il fit sa révérence.

Chapitre IV

Mordre dans les mémoires

LE LENDEMAIN ÉTAIT UN APRÈS-MIDI GRISÂTRE ET DOUX POUR LA SAISON. Anabia traversa le parc sans noter la couleur du ciel. Il admira le travail de Le Nôtre, la géométrie des bassins, puis longea le Grand Canal en s'efforçant de ne pas lorgner du côté des eaux noires, linceul du fœtus.

À la grille, il franchit les limites du château en sifflant. Il fureta dans les sentiers en suivant les indications de Marguerite et déboucha sur un petit bois touffu. Il vit alors l'étonnant engin caché dans la broussaille. À Versailles, personne n'aurait pu dire pour quelle fête somptueuse avait été fabriqué le manège. Par miracle, il avait échappé à la destruction totale. Échoué dans la nature, il s'était recouvert de lichen au fil du temps, un thalle semblable à une robe fantomatique, qui avait pour principale vertu d'éloigner les pillards.

Marguerite de Caylus jaillit du parc hors d'haleine. Elle reprit son souffle en découvrant Anabia. Celui-ci fut de nouveau frappé par une intuition. Il se passerait un jour quelque chose. Il sentait une force qui agissait et les poussait l'un vers l'autre...

Marguerite de Caylus comprit l'étrangeté de la situation. Une fois encore, l'immobilité seyait difficilement à la plus élémentaire contenance.

— Prince Anabia, allons nous promener dans la forêt, dit-elle en passant devant le jeune homme sans lui jeter un regard. J'ai semé ma domestique dans la promenade. Elle retournera m'attendre au château.

Le bois exhalait des parfums d'écorces et d'herbe mouillée. La pluie, tombée à verse dans la matinée, encourageait une poignée d'oiseaux qui sifflaient à tue-tête. Anabia se sentait bien. À chaque occasion il reniflait, véritablement, le parfum des bois de Versailles. Alentour, la forêt avait un goût puissant de nuit en plein jour. Où qu'il se trouvât, Anabia était assommé par les odeurs. Chacune était fixée dans sa mémoire. Par exemple, s'il devait définir les senteurs de l'Afrique, c'était sans effort qu'il éprouvait celles du lait caillé mêlées au feu de bois. Rêveur, il murmura :

— Madame, j'aimerais vous emmener chez moi.

Marguerite sursauta. Elle scruta le visage d'Anabia. Il souriait de toutes ses dents. Elle réprima un fou rire nerveux qu'il aurait pu prendre pour une moquerie. Avisant un épervier qui filait dans le ciel, il poursuivit :

— Comme lui. Je voudrais, de plusieurs battements d'ailes, vous transporter en Assinie. Vous seriez du voyage ?

— Mais les hommes ne voleront jamais. Voler est un privilège réservé aux anges, répondit-elle avant de rire aux éclats, ce qui ne lui était pas arrivé depuis longtemps.

— Je peux vous emmener d'un coup d'ailes en Afrique. Venez.

Anabia offrit son bras à la comtesse, fit demi-tour et la guida au point de leur rendez-vous. Sur le manège, il l'aida à prendre place dans une petite gondole vénitienne, modèle réduit des embarcations qui naviguaient sur le Grand Canal. Il épousseta la place à l'aide d'un foulard en soie qu'il portait autour du cou, confectionna une sorte de coussin à l'aide de sa veste retournée, et invita la jeune femme à s'asseoir. Les jeunes gens se faisaient face à distance d'un mètre environ.

— Madame, je vais vous raconter l'histoire de ma vie, assura Anabia plein d'aplomb.

— Pourquoi pas ? dit Marguerite d'une voix douce.

Piquée par l'exotisme, la comtesse de Caylus n'imaginait pas une seconde qu'elle allait se retrouver embarquée dans un torrent de haine, d'action et d'amour. Amusée, elle ne résista pas, ignorant que la voix du prince d'Assinie, apaisée, suave, allait l'envoûter. Les mots, satinés, allaient pénétrer en elle par résonance. Ses oreilles feraient leur travail, c'était bien le moins, mais le timbre d'Anabia s'insinuerait directement dans sa poitrine.

Anabia reprit son souffle et se livra d'un bloc. Il avait décidé de tout dire à Marguerite. De se livrer dans un flot d'images exubérantes. Après tant d'années à Versailles, le vacarme devait succéder au silence.

— J'appartiens au peuple des pêcheurs, les Bantas. Nos ennemis sont des chasseurs, les Namos. C'est l'or qui excite les Namos. L'or, qu'ils grappillent près du fleuve, l'or, qu'ils troquent aux Européens en échange d'armes, d'alcool, de verreries, et de bijoux. Les Namos nous dominent. Leur chef est le roi d'Assinie. Il se nomme Zuma.

« Nos clans sont dressés l'un contre l'autre depuis la nuit des temps. Chaque génération nourrit la haine par la mort de nouveaux combattants. Nous vivons dans le village de Massan, eux dans celui de Soco, côte à côte, mais jamais nous ne ferons la paix. Les Namos sont les plus forts, les mieux armés, ceux qui nous punissent quand éclate une révolte. Je me méfie de chacun d'entre eux depuis mon plus jeune âge.

« J'ai dix ans. Comme Shanga, un jeune noble namo, neveu du roi Zuma. Il mène les chèvres à la rivière. C'est mon rôle, moi aussi, prince banta par ma mère.

« De nombreux jours, j'observe Shanga de loin, car nos clans ont chacun un coin d'eau pour abreuver les bêtes. Le soir, une nuée de flamants roses survole la mangrove verdoyante pour nous saluer.

« Notre amitié commence le jour où je l'entends pleurer. Il vient de perdre une chèvre dévorée par un crocodile. Je m'approche pour le consoler. Il me prend la main. Nous rions. Je raconte la scène à ma mère. Je vois dans ses yeux la peur, les ravages de la vengeance immémoriale qui oppose Bantas et Namos.

« Nous nous cachons pour jouer ensemble. À terre, Shanga m'initie au maniement du sabre et de la lance. À l'embouchure du fleuve, je lui apprends la pêche. Le temps s'écoule à observer la guerre entre daurades et poissons volants. Les daurades font leur poids, de quinze à vingt kilos, mais elles filent tels des boulets à la poursuite de leurs victimes, monstrueuses avec leur figure de hareng et leurs ailes de chauve-souris. En troupeau, les poissons volent à n'en plus pouvoir jusqu'à retomber en mer, les ailes séchées, pour finir dans la gueule boulimique des poissons dorés. Fascinés, nous observons ces leçons de combat, lui, prince des Namos, moi prince des Bantas. Il reste quelques années avant de nous haïr.

« Nous sommes amis pour le moment. C'est une période de bonheur immense. Les heures qui nous séparent sont ternes. Nos scellons nos retrouvailles en ouvrant grands nos bras l'un à l'autre. Sans compter avec le malheur, toujours à craindre.

« Le retour de mon père change le paysage. Le thème se répète, celui de la vengeance immémoriale entre Bantas et Namos.

« Je quitte l'enfance. Mon père est une présence vague, mais chaleureuse. C'est un guerrier puissant, très habile, au service des royaumes voisins en temps de guerre. Il revient vainqueur, riche en or. Plus tard, ceux de mon village, Massan, auront un mouvement de recul en me voyant paraître, effrayé par un fantôme. Mon visage deviendra celui de l'homme qui m'a enfanté.

« Mon père retrouve la tribu après une année d'absence. C'est un homme des voyages. Il part, revient, c'est ainsi depuis qu'il est apparu à ma mère bien des années plus tôt. C'est un Maure, prince de Chinguetti. Cette ville des sables abrite depuis des siècles les plus grands savants du monde arabe. Chinguetti vit heureuse au pied des dunes orange mais mon père voyage, c'est ainsi, et il passe un jour le fleuve Sénégal. Plus tard, une mouette plane devant lui en un joli mouvement. Il est épuisé par des mois de route. “C’est ici que je m’arrête”, dit-il aux pêcheurs venus lui apporter du poisson. Il recouvre ses forces en quelques semaines. Sa puissance séduit les Bantas. Le chef du village offre ma mère en mariage. Je viens au monde des amours d’un Maure et d’une princesse banta.

« En rêve, avant qu’il ne retourne chez nous après sa guerre, mon père a vu les Bantas se libérer des tyrans namos. Et la victoire, dans la vengeance entre Bantas et Namos.

« Mon père déborde de force. Il forme une bande de quatre hommes pour abattre Zuma. Un peu avant l’aube, l’équipage gagne Soco. Les murs du palais de Zuma sont formés de roseaux entrelacés et enduits d’une boue de terre rouge. Mon père creuse à même l’édifice. Il découvre avec étonnement la succession d’enceintes qui mènent à la demeure de Zuma. Suivi par sa troupe, il entre dans la première cour, s’affranchit d’une muraille en grimpant, puis en redescendant les huit barreaux d’une très large échelle. Il y a trois cours. À chaque fois, au pied de l’échelle, deux soldats qu’il tue en silence. Il se retrouve devant une petite halle, haute et large de quatre mètres environ.

« À l’intérieur, le roi Zuma dort sur un lit soutenu de quatre colonnes d’ébène. Le commando se précipite sans précaution. Il ne peut agir que par surprise. Il ne sait pas que dans la pénombre veillent les favorites de Zuma. Elles sont armées d’un large sabre à poignée d’or. L’une hurle de toutes ses forces. Toutes se débarrassent des fourreaux qui exhibent des dents de léopard percées. Elles sont très courageuses. Elles lancent l'assaut avant même que Zuma ne soit touché.

« D'autres guerriers arrivent en renfort. À un contre dix, dans la gueule du lion, la troupe lutte vaillamment, animée du seul désir de tuer le plus d'ennemis possibles, sans distinction entre les amazones et les hommes.

« Quand la bande gît à terre, les soldats de Zuma s'acharnent à coups de lance sur les dépouilles. La fureur redouble lorsque le roi, tremblant dans son coin, s'aperçoit que son fils aîné, celui qui doit lui succéder, a perdu la vie dans la bataille.

« Zuma lève son cul posé sur une peau de zèbre. Calmement, il noue autour de son bassin un pagne de coton blanc rayé de bleu. Il ajuste sur sa tête un chapeau noir bordé d'argent. Il réclame un sabre et tranche le cou de mon père, qu'il reconnaît comme le meneur.

« Plus tard, les hommes de Zuma plantent la tête sur un pieu. Ils gagnent Massan en pirogue. Ils déploient leur force dans le village. Ils étalent sur la place du marché les cadavres, et piquent le pal devant notre case, dans la terre desséchée. La tête doit rester à pourrir. Plusieurs fois, je me précipite pour arracher le visage décomposé de mon père. Mais les hommes de Zuma me battent, et ma mère me supplie de ne plus risquer ma vie.

« Le malheur est immense pour la princesse banta. Mais le pire est à venir. Les journées passent. Le soleil est notre allié. Il décompose la tête de mon père. Enfin, les guerriers de Zuma abandonnent leur poste. Ma mère refuse l'aide du marabout. Elle s'engage seule dans la forêt, traînant sa plainte, pour enterrer les restes de son époux. Ce jour, je jure vengeance. Et promets la liberté pour les Bantas.

« La mort du dauphin déchire les Namos. Ils passent des journées entières en funérailles. Notre clan s'imagine que la vie va reprendre, Bantas et Namos côte à côte, malgré la dette de sang. Mais Zuma veut encore punir. Zuma veut encore laver l'affront. Il surgit à Massan, entouré de soldats. Ses troupes ont reçu l'ordre de piller les cases, de battre les vieillards, d'essaimer dans le ventre de nos filles une multitude de petits Namos. Zuma ne veut pas tuer. Mais mordre dans les mémoires, pour que sa colère demeure toujours perçante.

« Nos ennemis sont ivres. Tout un jour, et tout un soir, ils accomplissent leur besogne. Dans les brumes d'un matin qui hésite entre le jour et la nuit, Zuma parvient à notre case. Il est entouré d'une centaine de soldats, dont certains tirent des coups de feu en l'air. Ma mère me serre dans ses bras. Elle ne tremble pas. Elle a compris.

« Perché dans un hamac, soulevé par deux porteurs, Zuma avertit les Bantas que l'heure de sa vengeance est écoulée, mais qu'il doit encore s'emparer des biens et de la famille du fou qui l'a défié. Il veut prendre pour femme celle dont l'époux a assassiné son fils. J'entre dans une rage terrible. Ma mère use de toutes ses forces pour me calmer, me dire que tout ira bien, que nous partons ensemble.

« Nous gagnons Soco *manu militari*. Au palais, deux esclaves armés d'une lance à la main et d'un sabre à la ceinture suivent tous nos mouvements. Nous ne quittons pas l'enceinte pendant plus d'une année. La nuit, je me bouche les oreilles. Zuma veut un nouveau fils. En songe, un esprit lui prédit que ma mère va lui donner un dauphin. Elle devient grosse. Je lui en veux. Je pense qu'elle souille le cadavre de mon père. Je ne lui parle plus. Je m'échappe de tous ses gestes d'amour.

« Puisque ma mère engendre, les chaînes se relâchent. Shanga est autorisé à me voir. Nous poursuivons nos jeux. Nous nous entraînons chaque jour à la lance. Nous sommes maintenant d'une force égale. Aussi féroces l'un que l'autre. Nous nous aimons. Nous désirons nous tuer.

« Le jour arrive. L'enfant vient au monde. Il est beau. C'est un fils. Zuma, fou de joie, n'a plus la tête à nous garder prisonniers. Je grandis avec Shanga. Je retrouve les rivières et la mer. Mais j'évite Massan. De peur. Trois années passent.

« Les Français débarquent à Soco. Je ne manque pas une occasion de bavarder avec eux. Au coucher, sur ma paillasse, je m'amuse à réciter cette nouvelle langue. Je m'impose comme traducteur entre les voyageurs et les négociateurs de Zuma. J'écoute les récits des sujets de Louis XIV. Des multitudes de visions se chevauchent dans ma tête. En rêve, je me promène souvent dans Paris, entouré de chevaux, l'épée à la main. J'avance dans d'interminables couloirs, ouvre des portes d'où jaillissent d'énormes candélabres. Je dévale les jardins du Roi-Soleil, une perruque extraordinaire sur la tête.

« Le temps suture les plaies et mes vœux de revanche. Pourtant, le châtiment guette.

« Je ne parle plus à ma mère depuis longtemps. Son autre fils, ce sang-mêlé, meurt brusquement d'une forte fièvre. Zuma est effondré. Il n'entre pas dans ses colères coutumières. Je refuse de prendre dans mes bras ma mère inconsolable. Un matin, une esclave la découvre morte, pendue dans sa chambre.

« Je suis seul au monde. Alors se produit l'impensable.

« Zuma pleure la princesse banta. Ils s'aimaient depuis toujours, révèle-t-il à la cour. Ils avaient grandi en s'amusant ensemble. Dans l'ombre de la dette de sang qui séparait Bantas et Namos, ils avaient rêvé secrètement d'une vie commune. Mais un Maure est venu. Et bien des années plus tard, sous sa puissance, le fleuve de sang a charrié ses cadavres. On en est là. Et maintenant ?

« Zuma déclare en conseil que je suis son fils adoptif. Il dit : "Demain, tu seras roi d'Assinie." La cour me dévisage. J'ai quinze ans. Je sens en moi une rage incroyable. Je suis enchaîné à Zuma par la dette de sang. Je dois venger mon père. Mais je sens que l'esprit de ma mère s'y oppose de toutes ses forces. Elle a déjà perdu un homme. Je suis enchaîné à Zuma par le désir de devenir roi. Je veux affranchir ma tribu. Je veux sceller la paix, Shanga à mes côtés.

« Je regarde Zuma. Sa figure est belle avec sa barbe cordelée en vingt petites tresses ornées de pierres précieuses. Il mâchonne sa pipe tout en longueur, de la taille d'un homme couché. Il mime la tranquillité. Cette pose décuple ma haine.

« Je me jette sur lui. Il me repousse. Il signale à ses hommes qu'il va m'affronter en duel. Il commence à frapper. Je suis adroit, je danse comme Shanga me l'a appris, j'évite tous ses coups. Je crois que je peux le battre. Je tourne autour de lui un bon moment. Je place quelques gifles, trois coups de pied. Je m'essouffle. Zuma encaisse sans broncher. Je suis un poisson volant, pauvre de moi. Il est la daurade, de cette race à figure de saumon. Il n'a plus qu'à me cueillir. Il me sèche en une série de coups de poing, gauche-droite, gauche-droite, qui me clouent à terre.

« Je saigne, je souffle comme un gros zébu, mais ce n'est pas fini. Il me corrige encore pour souligner ma défaite. J'entends des rires. Je suis à terre, je replie mes avant-bras sur ma figure, Zuma en profite pour frapper du pied sur ma poitrine. Je sanglote comme un bébé, je supplie et, tout en reniflant, je comprends. Le roi ajuste ses coups. Il cogne suffisamment fort pour faire mal. Mais il prend soin de ne pas me blesser. Il n'agit pas comme il le ferait avec un ennemi. Mais comme un père qui corrige son fils désobéissant.

« Je suis en sang. Je suis au tapis. Je suis honteux. Je suis l'héritier.

« Shanga assiste à la correction. Quand Zuma regagne son trône, il s'agenouille à mes côtés. Il nettoie mon visage plein de sang, de larmes et de morve. D'une main tremblante, il soulève doucement ma tête pour me faire boire. Je vois qu'il pleure, lui aussi. Ses bras me soulèvent pour me traîner dans la case qui m'est donnée aujourd'hui. Elle est vide depuis la mort du dauphin tué par mon père. J'éloigne les esclaves. Je m'endors, la main de mon ami dans ma main.

« Le lendemain, Zuma me tend une lance et un sabre. Il veut que je m'exerce avec lui. Il reste à distance pour parer mes coups, mais je le vois qui s'excite à mesure que je gagne en précision et en force. Chaque matin, Zuma fait de moi le meilleur guerrier d'Assinie. Chaque matin, il rit de me savoir plus cruel.

« L'après-midi, sur ses instructions, un père français, dominicain, me rend visite. Les sujets de Louis XIV reprennent l'avantage dans le golfe de Guinée. Sur ma côte, les premiers Européens ont été les Portugais. Plus tard, sous l'œil mauvais des Anglais, il y a eu des Hollandais, des Danois et des Allemands. Puis les Français nous ont rendu visite, chaque année, durant la saison favorable. Dans l'attroupement des navires, les Français emportent la sympathie. Cet attachement reste un mystère, car ils usent comme les autres de promesses un peu folles.

« Je m'exerce à lire la langue française en parcourant la Bible. Shanga assiste à ma transformation. J'apprends les règles du commerce. Nous nous promettons de régner ensemble.

« L'heure est arrivée. Nous partons en guerre dans un royaume voisin. Nous marchons longtemps jusqu'au village de la vallée, cette vallée des larmes. Le chef défie Zuma. Il ne respecte pas un traité : l'or d'Assinie contre des esclaves. L'armée de Zuma dévale la colline. Je bois ce mélange d'écorces qui me fait perdre la tête. Je file sabre au clair. Bientôt, des tas de cadavres jonchent le village. Des bras, des mains, des crânes ouverts de femmes et d'enfants s'étalent dans des ruisseaux de sang. Les mouches, féroces, s'accrochent aux morts et aux vivants. Un homme se jette sur moi en suppliant. Je le décapite tellement j'ai peur. Des femmes se précipitent en hurlant : “Vous êtes fous !”

« J'ai la figure d'une daurade. J'achève mes proies tel un boulet. Les ordres de Zuma se perdent dans le vacarme de la mort. Les lances massacrent les enfants qui sortent de leur cachette. La poussière, remuée par les bourreaux et les victimes, forme un nuage de brouillard. Nous sommes à côté du monde. Invisibles sur la terre. Au-dessus, le soleil vertical ne parvient plus à décocher ses flèches.

« Un soldat de Zuma capture le cheval du chef du village. Il faut l'abattre. Il faut plonger ses mains dans les entrailles et boire le sang bouillonnant. C'est la tradition. C'est le geste qui donne la force. Je m'exécute. Le sang aux lèvres, j'ai même l'impression de faire peur à Zuma.

« Nous sommes une dizaine autour du cheval. Je veux vomir. Je m'enfuis en hurlant à l'autre bout du village. Ici, je n'entends plus les plaintes ni les râles. Je m'évanouis. Je m'éveille avec le corps d'une femme qui repose à mes côtés. Ses jambes, striées de sang, sont démesurément écartées. Sa poitrine est mutilée. Son pagne, jeté dans la terre, est déchiqueté. Mes bras brandissent l'étoffe au-dessus de ma tête. Ma voix gémit une prière déformée, *Anguioumé, Anguioumé*. Mes jambes exécutent les pas d'une danse funèbre. Je sombre dans une transe. Je ne reviens à moi que bien plus tard, dans ma case, à Soco.

« Je ne suis pas blessé. Je suis hanté.

« On me presse d'assister à une audience accordée aux Français par Zuma. C'est le début de l'année 1688. Jamais les représentants de Louis XIV n'ont été si nombreux en Assinie. À leur tête, je salue Jean-Baptiste Ducasse, officier de la marine royale. Il m'interroge, je vois qu'il note tout, pèse chaque détail. Il veut établir chez nous des comptoirs et des forts. Sur la Côte d'Or – c'est ainsi que les Français parlent des rivages de Guinée –, les Hollandais ont déjà deux forteresses solides, La Mine et

Cormatin, dont dépendent une dizaine de comptoirs fortifiés.

« Ducasse pense qu'il est prudent d'installer la France à distance raisonnable des hommes de Guillaume d'Orange. On est en paix, mais sait-on jamais ? Assinie est l'endroit idéal. Ne dit-on pas que les mines d'or y sont abondantes ? Zuma est prudent. Il veut s'assurer que les Français reviendront. Il réclame une assurance. Il me désigne :

« — Prenez Anabia et ramenez-le-moi dans un an.

« J'ai seize ans. Zuma entrevoit les bénéfices d'une alliance avec le plus grand roi du monde. Il place sa confiance en moi. Je suis son ambassadeur. Je me suis formidablement comporté sur le champ de bataille. Je ne pourrai que mieux le servir après un apprentissage à la cour de France. Il me remet entre les mains du commandant Ducasse.

« Au moment de quitter Assinie, je considère cet instant comme la chance de ma vie. Le point d'embarquement se trouve à une lieue de Massan. Les Bantas se déplacent. J'entends leurs cris. Je ressemble à mon père.

« Dos au royaume, les pieds nus, vêtu d'un pagne enrichi de parure d'or, je bombe le torse et lève la tête. Je tourne le dos au village des larmes. Je repousse au plus loin de mon âme le guerrier à la bouche pleine de sang.

« Ce double méprisable.

« J'entre dans la barque en sautant, indifférent aux cris de Shanga couverts par le fracas des vagues. J'ai seize ans. Je ne veux plus revenir en Afrique. Jamais. Je suis un homme nouveau…

« Vous connaissez la suite, Marguerite – nous sommes amis, maintenant, je vous appelle Marguerite…

« La guerre reprend en France. Depuis mon départ d'Assinie, aucun navire ne s'est aventuré dans la lagune. La Compagnie de Guinée est en sommeil. Seul votre cousin se souvient encore d'Assinie. D'où je viens…

Anabia se redressa et contempla le visage de Marguerite. Dieu, qu'elle était belle ! À l'abandon, ses traits retrouvaient une rondeur enfantine. Le dessin de sa bouche ourlait des lèvres pleines. L'arête de son nez, fine, s'évadait de pommettes cambrées en une ligne parfaite. Ses yeux, un camaïeu de verts aux éclats noisette, étaient rougis d'émotion. Sous l'effet de légers tremblements, ses cheveux blond vénitien, un châtain clair aux reflets roux, frissonnaient au souffle d'un vent léger.

Anabia prit conscience que son amie luttait contre le froid. Il lui tendit la main pour l'aider à se relever. Ses doigts tremblaient. L'effort lui avait coûté.

Se redressant, Marguerite chercha au fond des yeux d'Anabia des raisons de lui en vouloir. Que signifiait cette confession ? Semblable à ces officiers clamant leurs exploits macabres, agissait-il pour l'épater ? Mais il y avait cette peine, et ce désir fou de ne plus jamais rentrer chez lui… Elle déguerpit du manège en ayant balayé ses doutes. Anabia ne voulait pas d'approbation. Il lui avait donné son âme sans calcul. Se revoir ? C'était à elle de décider.

Il l'observait. Il semblait lire à livre ouvert sur son visage. À son tour, elle se sentit percée à jour. Elle s'enfuit sans un mot, au coucher du soleil, anonyme sous sa mante.

Cette nuit-là, Marguerite de Caylus dormit sans qu'aucun rêve ne vînt la troubler. Au réveil, l'image d'Anabia s'imposa. Sa première pensée fut heureuse, mais sa poitrine fut vite écrasée par un sentiment d'angoisse. Contre toute raison, elle souhaitait voir le prince d'Assinie. Mais que lui arrivait-il ? Son rang, son mari, sa parenté avec madame de Maintenon lui interdisaient d'envisager même un lien d'amitié avec un Nègre, fût-il prince.

Allongée sur son lit, elle se remémora l'offre de son cousin :

« Je vous propose d'être mon acolyte. Et de vous couvrir d'or. De tant d'or que vous allez vous moquer des appointements de Monsieur votre mari. Une femme riche est une femme libre, chère cousine. »

Quel diable d'homme ! Anabia l'avait touchée dans sa vérité livrée dans la forme la plus brute. Dire au chevalier qu'Anabia ne servirait jamais ses intérêts, qu'il préférerait mourir plutôt que de retrouver l'Afrique, était une trahison terrible ; elle-même se serait reniée. Personne, dans son existence, ne lui avait ainsi fait confiance. Et puis, face à la louve déchaînée, le prince d'Assinie s'était précipité à son secours. Sans calcul. Un tel geste n'avait rien d'anodin.

Enfin – elle osa se l'avouer – dans la galerie des Glaces, elle l'avait trouvé magnifique. Son regard, empli d'une fièvre mystérieuse, l'attirait. Le corps ne la laissait pas indifférente. Petite fille, elle passait et repassait devant un tableau évoquant des gladiateurs aux prises avec des lions. Anabia incarnait cette représentation de muscles et de beauté viriles.

Elle croisait son chemin alors qu'il contenait la férocité qui était en lui. Quelle étrangeté ! « Quand on a la chance d'être une brute, il faut savoir le rester », médita-t-elle sans raisonner. Et puis encore, il y avait sa voix. Une heure s'était écoulée pendant son récit sans qu'elle s'affaiblît ou changeât d'intonation. N'était-il pas un peu magicien ?

Finalement, elle se décida. Elle risquait de s'égarer. Mais qu'avait-elle à perdre ?

Tout, si elle y réfléchissait.

Chapitre V

Une femme renaît à chaque aube

PAR ORDRE DU ROI, LOUIS ANABIA, PRINCE D'ASSINIE, ROYAUME DE LA CÔTE D'OR EN AFRIQUE, est admis à la première Compagnie des mousquetaires au grade de sous-lieutenant...

La goutte au nez, Anabia lisait et relisait le billet du lieutenant général de Villars. Voilà. C'était fait. La coquetterie de Louis XIV, cette main lézardée posée sur sa perruque, avait dégrippé les rouages de Versailles. Nommé mousquetaire, Anabia allait retrouver les troupes de Flandres. Elles s'assemblaient aux premiers jours du printemps.

La décision de l'incorporer dans l'armée de France, une première pour un Noir, fit remonter en lui les images d'un événement qui, déjà, avait fait sensation : son baptême. Près de dix années plus tôt, Bossuet l'avait accueilli en l'église Saint-Sulpice en grand habit d'apparat. Il se souvenait d'avoir ressenti une peur incontrôlable devant la calotte noire, la croix sur le torse et le grand surplis blanc pardessus la soutane. Face à la tête allongée du prélat, son front large et haut, ses sourcils bien tracés, son menton et son nez volontaires, il avait serré contre lui le fétiche et intérieurement récité l'oraison : *Anguioumé mamé maro...* Alors que l'assistance prenait place, le chevalier d'Amon s'était adressé à Henri Beauchand, curé de Saint-Sulpice, en ces termes : « Qui pourrait reconnaître, dans ce jeune homme bien né, et de bonnes manières, le Nègre païen et ignorant débarqué il y a si peu de temps à La Rochelle ? » Henri Beauchand n'avait pas eu le temps de répondre. Accompagné du corps des chanoines, Bossuet avait levé la main pour signifier qu'il allait commencer. Généralement, il improvisait, se servait de sa mémoire phénoménale et rebondissait sur des citations bibliques. À la cour, il avait été éducateur du prince. Ce jour, se souvenant d'un texte qu'il avait écrit pour le dauphin, il s'était parodié : « On marche, disait saint Paul, en espérance contre l'espérance, car encore que le prince Anabia commence d'assez bonnes choses, tout est encore si peu affirmé que le moindre effort peut tout renverser. Je voudrais bien voir quelque chose de plus fondé, mais Dieu le fera peut-être sans nous. »

Les yeux perçants de Bossuet s'étaient attardés sur Anabia. L'assistance avait retenu son souffle, car l'évêque de Meaux était capable d'assassiner en peu de mots. Bossuet connaissait bien ces hommes qui tremblaient. Il savait les inviter dans son troupeau. Dans ce dessein, il avait laissé ses yeux exprimer de la douceur. Et, face à la beauté du prince d'Assinie, ce visage qui reflétait la grâce, il avait opté pour la simplicité, celle qu'il avait développée dans son *Panégyrique de saint Paul*, trente ans plus tôt. Anabia se souvenait de chaque phrase : « Je ne me plais que dans mes faiblesses : car lorsque je suis faible, c'est alors que je suis puissant... Voyez le Christ lui-même. La chair qu'il a prise est infirme, la parole qu'il prêche est simple : nous adorons dans notre Sauveur la bassesse mêlée avec la grandeur. Il en est ainsi de son Écriture, tout y est grand, tout y est bas ; tout y est riche, et tout y est pauvre ; et en l'Évangile, comme en Jésus-Christ, ce que l'on voit est faible, et ce que l'on croit est divin. Il y a des lumières dans l'un et dans l'autre, mais ces lumières dans l'un et dans l'autre sont enveloppées de nuages : en Jésus par l'infirmité de la chair ; et en l'Écriture divine par la simplicité de la lettre. C'est ainsi que Jésus veut être prêché... »

Bossuet s'était arrêté net, avait balayé d'une main sa longue chevelure claire qui retombait sur son cou et repris : « Nous prêchons une sagesse cachée ; nous prêchons un Dieu crucifié... Si notre simplicité déplaît aux superbes, qu'ils sachent que nous voulons leur déplaire, que Jésus-Christ dédaigne leur faste insolent, et qu'il ne veut être connu que des humbles. » Bossuet s'était tu de nouveau. Un silence tactique, car les mots débordaient de sa bouche. Anabia en avait profité pour détailler les mains fines de l'évêque, ses longs doigts et ses veines apparentes. Il avait songé que des vers de terre couraient sous la peau du vieil homme lorsque celui-ci avait tonné : « Le discours de l'Apôtre est simple... S'il ignore la rhétorique, s'il méprise la philosophie, Jésus-Christ lui tient lieu de tout ; et son nom rendra sa simplicité toute-puissante. »

L'assistance n'avait pas vu Bossuet aussi emporté depuis longtemps. Avant de procéder au baptême proprement dit, il avait conclu par ces mots : « La lumière du Christ n'éclaire que ceux qui la suivent, et non simplement ceux qui la regardent. » Le sermon achevé, un chanoine s'était approché d'Anabia pour le guider sur les fonts baptismaux. Bossuet avait tracé dans l'air les contours d'une croix et déposé sur le front du baptisé quelques gouttes d'eau bénite. Anabia avait fermé les yeux. Puis les avaient réouverts en adepte de Jésus-Christ

Presque dix années, donc, étaient passées, et aujourd'hui le Roi-Soleil faisait de lui un soldat français. « Baptisé, mousquetaire, je suis parfaitement blanchi », se répétait-il, reniflant comme une truie.

Au billet du lieutenant général de Villars s'ajoutait une soubreveste bleue. Ce justaucorps sans manches s'ornait sur la poitrine et dans le dos d'une croix fleurdelisée de velours blanc. Dévotement, Anabia prit entre ses mains l'habit qui, entre tous, marquait son appartenance au corps d'élite. Le traditionnel mousquet, à porter sur le flanc droit, inspirait plus de réserve. L'arme à feu portative était belle, certes, mais la poudre laissait craindre un accident. Il décida de conserver l'objet dans sa chambre en attendant les batailles.

Il était midi. Paré de la croix des mousquetaires, il descendit se restaurer à la salle à manger du Grand Commun.

Il déjeunait de bel appétit lorsqu'une main lourdement baguée tira sa manche galonnée d'or. Il se redressa et vit d'Amon, non sans un pincement d'amertume. Depuis la chasse, seule la férocité du personnage soutenait son jugement.

— Prince d'Assinie, je vous cherche partout ! s'irrita le chevalier. J'ai une grande nouvelle à vous annoncer.

D'Amon s'était exprimé en appuyant fortement sur les mots. Comme à l'habitude, sa bouche ne parvenait pas à dessiner un sourire qui n'exprimât pas le mépris.

— La Compagnie... Sa Majesté... C'est fait... bafouilla le chevalier qui se servit du vin, en but une gorgée puis le recracha avec une grimace de dégoût. Plus calme, il déclara :

— Je pars pour l'Assinie.

Anabia le regarda un long moment. Le silence s'éternisa, obligeant d'Amon à réagir.

— *Aquio-mingo* : je n'ai pas oublié cette manière de saluer dans votre langue, s'obstina d'Amon. Et tenez, voilà qu'il me revient ce geste charmant de courtoisie, vous savez, lorsque vos amis prennent la main de leur visiteur, et lui tirent les doigts jusqu'à les faire craquer... comme c'est amusant, s'esclaffa le chevalier.

La placidité d'Anabia, feinte, ne contrait en rien l'excitation de l'officier de marine. À vrai dire, le prince d'Assinie bouillonnait. Il songeait à un proverbe de son pays : « Reconnais la main qui te nourrit. » D'Amon et la Compagnie de Guinée le nourrissaient. Il importait de rester calme. Il leva les yeux au ciel et s'exprima d'une voix vacillante :

— Vous pa-tez, j'en suis rrravi, mais pou-quoi fairrre, chevalier ?

— Nous allons bâtir une forteresse, expliqua d'Amon, trop survolté pour remarquer l'élocution défaillante de son interlocuteur.

— Mon pays est abandonné par la France depuis des années, se maîtrisa Anabia. Les commandants de vos navires nous ont promis beaucoup, et cependant rien n'est jamais arrivé.

Quel toupet ! D'Amon n'en revenait pas. Salir ainsi la France ! Si seulement il avait pu provoquer l'insolent en duel... Il chevrota :

— C'est juste. Mais songez à l'effort représenté par notre guerre européenne. Les états coalisés contre la France représentent les deux tiers de l'Europe. Par bonheur, les campagnes militaires se stabilisent. C'est le moment d'exécuter notre plan. Il faut refermer l'Assinie dans la seule nation française. J'ai pour mission de rétablir la confiance entre nos deux peuples.

— Je suis mousquetaire depuis aujourd'hui, répliqua Anabia. Désormais les Flandres sont mon seul horizon. Mais je vous assure de ma fidélité.

Le chevalier d'Amon chercha l'argument massue. Le coup qui tue. Dans son raisonnement, l'or revenait toujours. Mais pas question de glisser sur ce terrain-là. Il ne voulait partager les mines avec quiconque. Cependant, il y avait bien autre chose. La traite des Noirs enrichissait les Hollandais embusqués sur les côtes de Guinée. Le royaume d'Assinie était tenu à l'écart du commerce des esclaves. D'Amon fit le lien :

— Votre fidélité est précieuse, certes, mais vos intérêts, y avez-vous songé ? Les Hollandais retirent de grosses sommes du commerce des Nègres. Songez qu'ils en fournissent six mille par année aux seuls Espagnols. En Amérique, nos voisins catholiques multiplient ainsi les manufactures des sucres à l'infini. Ce qui affaiblit les colonies françaises...

D'Amon s'arrêta pour réfléchir. Plongé dans une nouvelle donne, il ajouta :

— L'on doit se servir de nos navires pour transporter les Nègres en Amérique. Nous chargerons dans nos cales les ennemis de votre royaume. La Compagnie de Guinée, à laquelle vous serez associé, tirera de cette affaire des revenus faramineux. Riche, prince Anabia, vous allez devenir immensément riche !

Faire fortune ? Il n'avait pas d'avis sur la question. À l'abri dans le dédale de Versailles, logé sommairement, mais confortablement, le ventre plein, assis sur une pension de douze mille livres par an, Anabia n'avait jamais songé à s'enrichir. Jamais l'idée d'acquérir un hôtel parisien et des terres en province ne l'avait effleuré.

De toute façon, fallait-il croire d'Amon et sa mauvaise haleine ? Se poser la question revenait à admettre que la proposition se faufilait en lui. Avec domestiques, chevaux, grand équipage, n'administrerait-il pas la preuve d'une intégration réussie ? Celle, épatante, d'un enfant d'Afrique en chevalier de Louis XIV ? Enfin, ne serait-il pas un des leurs ?

Anabia prit une carafe de vin entre ses mains. Il abandonna son port de tête impérieux. L'air bonhomme, il hocha la tête et conclut :

— Dites au roi Zuma que j'encourage votre mission. Je me pencherai plus tard sur le commerce d'esclaves. Quand nous aurons vaincu en Flandres. Bon voyage. Et surtout, surtout, saluez Shanga.

— *Aquio-mingo, aquio-mingo*, bien, bien, bien… s'égaya d'Amon.

Il s'effaçait à reculons lorsqu'une nouvelle idée naquit :

— Mais, j'y pense ! Soyez des nôtres ce soir. L'hôtesse la plus recherchée de Paris, la marquise Anne-Thérèse de Lambert, nous rejoint pour un salon dans les appartements de Marguerite. J'ai réuni quelques écrivains et artistes en vue. Nous vous attendons, prince d'Assinie.

Les escaliers du Grand Commun en vue, le chevalier pouffa. Il souffla bruyamment, porta la main à son cœur et s'emballa *crescendo*. Il s'esclaffa, se tordit de rire, au point que des larmes ruisselèrent sur son visage et que de la morve dégoulina de ses narines. Au sommet de l'hilarité, il revint à lui. Il s'essuya le visage, prit soin de sa bouche qu'il avait affreusement humide et gagna la louveterie royale afin de retrouver son chasseur préféré, le sanguinaire Zabel.

Tenue en laisse par sa marâtre, Marguerite de Caylus n'avait jamais fréquenté les salons littéraires de Paris. C'était une lacune dans sa vie. Combien de fois avait-elle entendu parler des réunions de mademoiselle Ninon de Lenclos, ce salon qui recevait les esprits les plus brillants sous une fresque relatant l'histoire de Psyché, cette jeune fille d'une grande beauté, aimée par Éros, à la seule condition que jamais elle ne discerne le visage de son amant ?

Maintenant que la vieille femme de lettres recevait dans sa chambre, Anne-Thérèse de Lambert reprenait le flambeau. Chaque mardi, elle accueillait ses élus dans son hôtel de Nevers, rue de Richelieu.

Nous étions dimanche, en fin d'après-midi et, pour la première fois de son existence, madame de Lambert déplaçait son salon à Versailles. La patronne des lettres parisiennes avait elle-même rédigé les invitations. C'était tout un talent que de composer des cercles. Le sien était de mêler les anciens et les modernes, les femmes et les hommes, les célébrités et les inconnus.

Euphorique en son appartement, Marguerite réglait les derniers détails d'une soirée qu'elle voulait inoubliable. Intriguée, elle se répétait qu'elle n'écrivait pas, qu'elle n'était pas artiste, bref, qu'elle ne représentait rien dans ce monde. Pourquoi Anne-Thérèse de Lambert avait-elle choisi les appartements de la jeune comtesse de Caylus ? Madame de Maintenon avait peut-être exercé son influence. Le mystère demeurerait. L'important était que les écrivains et les artistes les plus en vue se précipitassent chez elle.

En quelques mots, le chevalier d'Amon l'avait avertie des codes en usage dans les salons. « Qui sera parmi nous ? » avait-elle interrogé. Le cousin s'était pâmé à l'évocation de personnalités dont les noms ne disaient pourtant rien à Marguerite. Mais elle ne manquait pas de courage. Elle était prête à descendre dans l'arène.

À l'heure dite, accompagnée de toute sa troupe, la marquise surgit sur le palier de la comtesse de Caylus. Un seul visage lui était familier : c'était celui de l'écrivain Nicolas Boileau, dont la mine de papier mâché révélait toute l'énergie déployée à rédiger ses *Épîtres*. Distante envers son hôtesse, la femme de lettres parisienne invita chacun à prendre place dans de confortables sièges disposés autour de l'âtre. Anabia, qui attendait la troupe à petite distance des appartements de Marguerite, s'installa lui aussi. Il rentrait les épaules. Il souhaitait se montrer le plus discret possible.

Deux domestiques noirs, retenus pour l'occasion, servirent des collations et des breuvages de toutes sortes. L'apparition des jeunes Africains, fardés comme de la volaille, la chevelure encombrée de plumes exotiques, pétrifia littéralement Anabia. Il n'éprouvait pas de sentiment fraternel pour eux. Élevé en prince, il dédaignait les domestiques. Mais contre toute raison, saisi par le ridicule de la situation, il prenait peur. Méfiant, il s'imagina que la rencontre littéraire était un piège. Et si on l'enlevait ? Et si lui aussi était moqué et transformé en valet de pacotille ?

Madame de Lambert, suivant l'usage, tapa dans ses mains. Les hostilités étaient ouvertes. Anabia, tout à sa méfiance, n'écoutait pas. Du brouhaha chuintait des réflexions politiques. Le Roi-Soleil avait été éduqué dans la règle absolue qu'il ne fallait pas lâcher une parcelle de son territoire. Ses ennemis souhaitaient que le royaume de France retournât à des frontières plus raisonnables. Eh bien, la réponse était claire ! Une bataille de plus. Menée par cent mille hommes.

Marguerite, qui n'entendait rien aux questions militaires, écoutait avec un sourire poli, parvenant tant bien que mal à cacher une vraie mélancolie. Anabia, plus perdu qu'elle, se concentrait sur les crépitements sourds du feu. Ses yeux brûlaient à la danse des flammes.

Il sursauta aux exclamations d'un auteur de théâtre qui, debout, les gestes amples, tentait de vanter sa dernière livraison. Cet épigone de Molière fut interrompu par un musicien qui le moqua gentiment. La marquise Anne Thérèse de Lambert reprit sa cravache :

— Monsieur Boileau, vous êtes venu nous lire une lettre que monsieur Jean Racine vous a adressée lors de la dernière campagne militaire.

L'écrivain dormait à moitié. Il ânonna :

— « J'étais si las du même camp militaire, si ébloui de voir briller des épées et des mousquets, si étourdi d'entendre des tambours, des trompettes et des timbales, qu'en vérité, je me laissais conduire par mon cheval, sans plus d'attention à rien, et j'eusse voulu de tout mon cœur que les gens que je voyais fussent chacun dans leur chaumière, ou dans leur maison, avec leurs femmes, et leurs enfants, et moi dans ma rue des Maçons avec ma famille. »

— Chassons les pensées belliqueuses, suggéra alors la marquise. J'ai mieux à vous proposer.

Des rires, des cris et les applaudissements d'une femme hystérique accueillirent la suggestion. Enchaînant, la femme de lettres enfla ses narines :

— Chers amis, le mousquetaire que nous avons le privilège de recevoir ce soir est prince d'un royaume d'Afrique. On promet à Louis Anabia un trône de la Côte d'Or. Prince, quand allez-vous retrouver votre pays ?

Anabia manqua s'étouffer avec le vin qu'il savourait. Les têtes se tournèrent vers lui. Le feu de l'âtre se propageait dans sa gorge et dans ses poumons. Il désira follement se blottir contre Marguerite. Après un coup d'œil à sa nouvelle amie, il inclina son buste avec grâce et dit :

— Madame, un roi gouverne fort bien l'Assinie, et je n'ai pas d'autre ambition que de servir la France et son armée. Je dois partir, oui, bientôt, mais pour les Flandres.

Un murmure parcourut l'assemblée. On venait de couper court aux persiflages sur les campagnes militaires. Il n'était pas question de retourner sur ce terrain. Anne-Thérèse de Lambert, tel un sycophante, attaqua de biais :

— Nous ne doutons pas de vos qualités de soldat. Vos peuples sont de grands chasseurs, n'est-ce pas ? Si, à demi nu et armé d'une seule pique, vous parvenez à tuer le lion, les Hollandais subiront des pertes terribles.

Marguerite sursauta. L'auteur de théâtre ne put retenir un hoquet. Anabia comprit que ses craintes étaient fondées. On voulait le moquer. Sa dignité était en jeu. Condamné à briller, il se lança à l'assaut :

— Madame, dans mon pays, les grands maîtres chasseurs reçoivent le titre de *sinbon* quand ils tuent ou capturent des animaux sauvages. Leurs exploits les propulsent au rang de maîtres…

Comédien, Anabia s'interrompit. Il dévisagea ses inquisiteurs l'un après l'autre. À l'exception de Marguerite, ils suintaient tous le mépris. Dans un cri de guerrier en bataille, « Ah ah ah ah ! », il sauta de son siège en terrifiant son monde… puis se rétablit au pied de la marquise en esquissant une gracieuse révérence. Charge de voyou talonné d'un geste de gentilhomme, il était dans son meilleur registre. Il déclara devant l'assistance stupéfaite :

— Le bruit court à Paris que vous avez devant vous, Madame, un authentique *sinbon*. Bientôt, je jetterai à vos pieds le crâne d'une hyène hollandaise.

Anabia fit demi-tour, se rassit, croisa les jambes et, toisant son public, poursuivit sans dérapage dans l'élocution :

— Nous sommes des guerriers, mais pas des sauvages. Je vais même vous étonner : je suis descendant par ma mère du prestigieux peuple Manding. C'est une confrérie de chasseurs qui, dès le VIIe siècle de notre ère, à la manière des francs-maçons d'Angleterre, prônaient la liberté pour chacun, l'égalité, la fraternité et l'entente entre tous les hommes, quelles que soient leur race, leur origine sociale et leurs croyances.

— Allons, fit le disciple de Molière, comment osez-vous mettre sur le même pied les francs-maçons et un peuple d'Afrique ? Chaque civilisation a sa destination et son objet. Nos voyageurs sont formels. Liberté et égalité ne peuvent s'appliquer à l'Afrique. Mais enfin… le Nègre restera toujours rampant au pied de son despote.

— Les peuples ont un caractère distinctif, enchaîna le musicien. La nature n'a pas insufflé à tous la même portion d'intelligence. L'aigle planera toujours dans les airs. La fourmi rampera sur la terre. Le tigre féroce dévorera toujours la craintive gazelle…

— Si la nature avait donné à tous les peuples le même génie, badina Anne-Thérèse de Lambert, ils auraient avancé de concert dans la découverte des sciences et la pratique des arts. Les peuplades d'Afrique, d'Amérique et des Indes sont là pour nous tranquilliser. Nous sommes les aigles.

Une ovation accueillit la sentence de la marquise. Marguerite se sentit terriblement gênée pour

Anabia. Qui irait voler à son secours ? D'Amon ? Mais d'abord, où était-il, celui-là ?

Un visage à sa droite l'intriguait. Sous le pâle reflet des bougies, elle ne parvenait pas à identifier ses contours. Le faciès laissait une impression bizarre. Ce visage long, ce nez pointu, ces mauvaises dents, mais… bon sang… cette dame, oui, c'était lui, son cousin.

Éberluée par cette découverte, Marguerite ne vit pas la figure d'Anabia qui s'était refermée. Le prince réfléchissait à la manière de se conduire. Bondir ? Provoquer en duel les impertinents ? Il avait désormais la certitude qu'il était l'invité principal du salon. Retors, d'Amon l'avait sollicité pour le ridiculiser. Efficace. Après cet échange mondain, il avait pour seule envie de filer en Assinie.

La rage montait partout dans son corps. Il aimait se battre. Généralement, il jouait des poings. L'endroit ne s'y prêtait guère. Il reprit de volée, avec la plus grande fierté possible :

— Il y a quatre cents ans, vous sortiez à peine des croisades, le plus célèbre des rois Manding, le fameux Soundjata Keita, fédérait des royaumes rivaux sous son autorité politique et militaire. Sur son empire immense, au moins aussi grand que notre France, Soundjata Keita édicta des principes contenus dans la charte du Manden.

La femme fardée émit un grognement. Anabia, orgueilleux, bomba le torse et asséna :

— Toute vie étant une vie, tout tort causé à une vie exige réparation… La faim n'est pas une bonne chose, l'esclavage non plus… Nul ne placera désormais le mors dans la bouche de son semblable pour aller le vendre… En conséquence, les chasseurs déclarent : chacun est libre de ses actes, chacun dispose désormais des fruits de son travail...

— Alors le soleil brille pour tous, coupa Anne-Thérèse de Lambert.

— Je terminerai en vous révélant que l'empire s'est désagrégé au cours de ce siècle, s'obstina Anabia, renvoyant les chasseurs dans la solitude de la brousse... mais après un dernier acte de bravoure. Il y a cent ans, le peuple Manding a repoussé des mercenaires espagnols, français, portugais et anglais enrôlés par le roi de Fez...

Un silence embarrassant suivit la conclusion du prince d'Assinie. On était abasourdi. La démonstration d'Anabia frisait la provocation. On se resservit en sorbet.

Anne-Thérèse de Lambert frappa dans ses mains et mit un terme à la conversation. Un peu effrayés, les salonards se saluèrent en toute hâte. Anabia suivit le cortège à sa traîne. Marguerite interrompit sa marche, sourit timidement et lui fit remarquer qu'il s'était remarquablement défendu. Il savait se conduire en brute, mais aussi en homme d'esprit. Il gagnait en mystère. Elle sentit un pincement au cœur. Elle jeta :

— Prince, revenez dans la nuit.

À peine introduit dans le salon de Marguerite, Anabia se débarrassa de sa perruque. Les membres tremblants, il s'inclina, et effleura du bout des lèvres la main offerte de son amie. D'un geste brusque, celle-ci désigna une petite table dressée pour un souper léger. Elle ne savait pas quoi dire. Juste pour briser le silence, elle lança :

— J'ai ici un élixir qui frétille. Avez-vous déjà goûté à ce vin de Champagne ? C'est une invention d'un moine de la congrégation de Saint-Varme, dom Pierre Pérignon. Il fermente son vin à un rythme très lent, ce qui aide à la formation d'une mousse. À son influence, les bons mots fleurissent…

Marguerite sourit. Les jeunes gens s'installèrent face à face, séparés par la flamme d'un chandelier qui dansait sur leurs visages.

Anabia reprit son souffle et versa du vin de Champagne dans deux petites tasses de vermeil doré. Ayant bu et replacé sa tasse sur la soucoupe, il choisit de distraire son hôtesse :

— Connaissez-vous les éléphants ? Près de mon village, de grands troupeaux paissent l'herbe et broutent les feuilles des arbres. Ils sont tellement adroits qu'ils brisent avec leur trompe la végétation pour dévorer les extrémités les plus tendres. Parfois, ils viennent même dans les villages à la recherche de bananes ou de quelques épis de mil.

Marguerite s'étonna de la réaction d'Anabia. Elle parlait vin de Champagne, il répondait éléphant. À ce rythme, allaient-ils un jour se comprendre ? Elle choisit pourtant de s'intéresser :

— Mais de pareilles créatures en liberté, près de vos maisons, n'est-ce pas dangereux ?

— Les éléphants ne font pas de tort tant qu'on ne les dérange pas, répondit Anabia. Mais si c'est le cas, il n'y a plus de sûreté pour personne. Ils attrapent le premier venu avec leur trompe, le lancent en l'air et l'écrasent sous leurs pieds jusqu'à la mort.

— Et vous-même ? Ne vous êtes-vous jamais retrouvé en danger ? demanda Marguerite, feignant la terreur.

— Oh ! j'ai rencontré une cinquantaine de ces animaux sur lesquels j'ai déchargé mes coups sans effets. Ils ont la peau à l'épreuve de l'arquebuse. Il n'y a qu'en les frappant dans la trompe, qui est une partie tendre et pleine de muscles, que je parviens à les vaincre.

— Bravo ! Et l'ivoire ? questionna Marguerite, l'esprit ailleurs.

— Ce commerce change les rapports entre mon peuple et les éléphants. Aujourd'hui, on les piège en les faisant tomber dans des fosses recouvertes de branches d'arbres. L'animal est si gros qu'une fois à terre, il ne peut plus se relever. Mon peuple troque l'ivoire et mange la chair du pachyderme, dont le goût et la couleur évoquent ceux de la viande de bœuf, mais dont la consistance est beaucoup plus dure.

Sur cette remarque, Marguerite, arguant de l'effet du champagne, se leva d'un bond de son siège et effectua quelques pas de danse.

Elle était résolue. L'autre jour, dans le manège, il s'était livré tout entier. Elle rêvait d'abandon, elle aussi. De lui dire : « Prends-moi. » Quand allait-il se décider ? Sa ronde achevée, elle prit place sur une bergère.

Elle était assise de biais sur la banquette, ses pieds ne touchant pas terre. Sa toilette relevée dévoilait ses chevilles prises sous les bas. Elle baissa la tête en riant et révéla son décolleté. Ses seins étaient faramineux. Elle se releva d'un coup, fixant son ami droit dans les yeux. Il sourit et elle sourit à son tour. Elle le fixa. L'essentiel était accompli. Ce sourire les avait rendus complices, complices comme s'ils n'avaient plus besoin de se parler.

Anabia s'avança et prit place à ses côtés. Son cœur s'affolait, il se mit à avoir très chaud tout d'un coup.

— Je…

Anabia ne savait quoi dire. Il était impossible de rester les bras ballants. Allez, soufflait une petite voix qui se moquait bien de l'accélération de son rythme cardiaque.

Ses doigts caressèrent une joue, vadrouillèrent sur le visage, puis s'attardèrent à l'arête du nez. Un autre bras se faufilait sous la taille. Les lèvres, à quelques centimètres, fusionnèrent.

Anabia se trémoussa pour fixer sa prise. Marguerite, prise d'un fou rire, ne put s'empêcher de lui recommander d'agir « doucement ». Il s'écarta, persuadé d'avoir été maladroit. Immédiatement, la jeune femme contre-attaqua, ce qui balaya ses doutes. Déterminé, il fit assaut de caresses et de baisers passionnés.

Passant les mains sous la robe, effleurant un fragment de peau, il dégrafa une attache. Un bas glissa sur le lit. Il remonta sur les seins, qu'il prit entre ses mains. Il parvint à dégager un téton du corset, qu'il lécha tendrement. Marguerite sourit, inspira profondément, et dégagea entièrement sa poitrine. La robe menaçait d'exploser.

Elle se leva pour se déshabiller. Elle se découvrit lentement, de dos, et lui fit signe de la suivre dans la chambre. À la lueur des bougies, la tache claire de son corps se détachait sur les murs. Lorsqu'elle se retourna, simplement vêtue d'un dessous en soie, elle apparut plus belle que jamais.

Sur le lit, elle demanda à Anabia de s'allonger le premier. Elle répandit à son tour une semée de baisers. Son souffle brûlant enflammait le visage de son partenaire. Délicieusement envahie par une puissance qui rugissait en elle et détruisait toutes convenances, elle l'appela « mon trésor ». Au toucher de sa peau, noire ou caramel, elle s'en fichait bien, elle se sentit en confiance comme jamais. Il y avait quelque chose de dru, d'épais, de solide dans cet épiderme. À son contact, elle était rassérénée.

Enfouis dans les draps, à la lisière de la pénombre, ils mimèrent une partie de chasse. Ils délaissaient les éléphants. Ils préféraient les lions, leurs morsures, leur talent à lécher les babines.

Le sexe de Marguerite s'ouvrit sur celui d'Anabia. Il la pénétra en pensant perle, ivoire, matières précieuses. Il se fit violence pour graver dans sa mémoire la douceur de la peau, la tendresse de la langue. Il se voyait étendu au soleil. Les rayons absorbaient toutes ses pensées. Il sentait des étoiles sur son dos.

À l'abandon, elle dit :

— C'est comme si nous étions dans une corbeille de pétales de roses.

Puis elle murmura, pour demander :

— Sais-tu ce qui transforme la nuit en lumière ?

— …

— La poésie… Connais-tu ce vers chinois ? Il est si beau, c'est une maxime, appelée là-bas « sagesse » :

Pour peu qu'elle le désire,
Une femme renaît à chaque aube.
Mais il n'est pas donné
À tous les hommes
De le deviner…

Chapitre VI

Tu trembles, carcasse

DANS LA NUIT QUI SUIVIT, ANABIA SE RÉVEILLA EN SURSAUT. Terrorisé, il mit du temps à se débarrasser d'un rêve effrayant.

Il était dans une crevasse face à un vieil éléphant. La bête soufflait d'une manière extraordinaire. Des nuages de vapeur s'échappaient de sa gueule. Soudain, l'animal prenait forme humaine et se mettait à ressembler à Louis XIV. Au milieu de la figure, la trompe s'agitait frénétiquement.

Dans un boucan d'enfer, la bouche cracha un fœtus gluant. Les parois de l'embryon, translucides, laissaient paraître un double de lui-même, l'air terriblement méchant. La chose vint se coller à ses pieds, puis parcourut son corps, des chevilles jusqu'à la tête. Le fœtus voulait l'étouffer. Il était en train de mourir lorsqu'il se réveilla.

Son visage fut marqué toute la journée. On aurait dit qu'il avait livré mille batailles.

Toujours habité, il partit à la rencontre de Marguerite. Elle devait se pavaner quelque part entre la galerie des Glaces et les appartements de la famille royale. Il saurait bien la trouver.

En chemin, un compagnon d'armes lui apprit que le départ des troupes était imminent. Le roi et son Conseil venaient d'ordonner une nouvelle mobilisation. Anabia sentit une vague d'amertume et de violence l'envahir.

Amertume, car la guerre brisait son cœur en l'éloignant de sa bien-aimée. Violence, car il avait la certitude que Marguerite éprouverait du soulagement à l'annonce de la campagne militaire. Elle avait été un peu vite en besogne. Il lui fallait du temps pour faire le point.

Il avait deviné juste. Marguerite avait raisonné toute la matinée en des termes dramatiques.

Des questions l'avaient tourmentée. Des questions comme : « Si l'on apprend que j'ai été la maîtresse d'un Nègre, le roi va-t-il me chasser de la cour ? » Ou bien : « J'ai une famille à respecter, comment réagira-t-elle ? » Et encore : « Et si l'annonce de cette liaison mettait mon père au tombeau ? »

Le cœur comprimé, Marguerite se rendait compte qu'il n'y avait aucune logique dans sa pensée, elle qui ne s'était guère préoccupée des qu'en-dira-t-on en accueillant Anabia dans son lit. Au fond, oui, cette campagne militaire tombait bien. L'incorporation d'Anabia rejetait loin dans le temps l'opportunité d'une nouvelle rencontre.

La petite semaine précédant le départ des mousquetaires, elle mit toute son énergie à fuir son amant.

Quand Anabia se plaçait dans son sillage, elle déployait mille ruses pour être entourée. Le prince décodait le manège, mais, obstinément, c'était plus fort que lui, il passait des heures à proximité de sa maîtresse, à faire du surplace, sans franchir la muraille.

Jusqu'au bout, il espéra une convocation pour une ultime nuit de plaisir. Inquiet, il finit par penser que la jeune comtesse regrettait son offrande. Frustré, il voulut la mépriser.

Autant dire à la hyène de ne pas dévorer le ventre du gnou.

Enrégimenté, Anabia quitta Versailles avec entrain, des chants guerriers plein la bouche. Il se trompait pourtant de registre. Il avait raté toutes les atrocités de cette guerre interminable contre l'Europe coalisée. Depuis longtemps, le conflit s'était engourdi. La pénurie d'hommes et d'argent, si grande dans le royaume de France, avait contraint Louis XIV à ménager ses troupes. La paix était une question de semaines. Anabia partait pour un simulacre de bataille, un dernier baroud, comme si quelqu'un, en haut lieu, avait jugé qu'il devait, certes, connaître le combat à la française, mais sans risque.

Sur les chemins du Nord, il se sentit renaître. Il n'avait pas quitté Versailles depuis son entrée au Grand Commun. Le bouquet de la nature, vivace, supplantait la puanteur de la cour, ce mélange d'urine et d'odeurs de cuisine. Les arbres, leurs feuilles toutes neuves lui communiquaient une vigueur qu'il n'avait pas ressentie depuis une éternité. Il cravachait son cheval. Il filait sur le chemin à une allure grisante.

Anabia était intégré à la prestigieuse première compagnie des mousquetaires, celle du comte d'Artagnan, tué au combat bien des années plus tôt. Bien qu'élève officier au grade de sous-lieutenant du roi, il ne pouvait prétendre à aucune charge. On ne dérogeait pas, chez les mousquetaires, à la règle de l'apprentissage. Les gentilshommes passaient leur première année dans le rang en simples soldats, suivant le principe selon lequel il fallait obéir avant de commander.

Reclus dans un secteur calme, Anabia adora cette vie au grand air. Et hurla de plaisir lors des festins donnés sous des tentes éclairées de lustres de cristal.

Mais il fallut bien combattre. Au moins une fois. L'humeur soldatesque voulait un massacre. Difficile d'imaginer qu'un village des Flandres pût ressembler trait pour trait à un village d'Afrique. C'est pourtant ce que ressentit Anabia, malgré la couleur de peau des combattants.

Le jour pointait encore. Une petite brise caressait les nuques. Les roues des canons se fracassaient sur le chemin. Les bruits de la nature s'étaient tus d'un coup.

Les grands yeux curieux d'Anabia couraient sur son officier, un jeune capitaine dont le regard bleu acier lui faisait froid dans le dos. La spécialité de cet homme était de sonder les âmes. Rarement Anabia s'était senti aussi transparent. On lisait dans ses pensées depuis le début de la campagne militaire.

Que voyait-il, ce diable de gradé ? Jusque dans les os d'Anabia, la bête suppliait. Elle voulait se réveiller. Prouver que Louis XIV ne l'avait pas blanchi pour rien.

Un drapeau hollandais flottait sur le village. Le prince d'Assinie, comme tous les soldats de sa compagnie, tablait sur un assaut, avec pour consigne de couper les têtes, de briser les corps, de faire fi de milliers d'années d'évolution et saluer Cro-Magnon.

La troupe s'avança sous la protection d'un gros canon tirant à ricochet et d'un mortier. Les pièces croisaient leur feu sur le front d'attaque. Un dans la multitude, Anabia souffla : « Tu trembles, carcasse, tu tremblerais plus encore si tu savais où je te mène... »

On attaqua le village par son entrée principale. Facilement, la cavalerie se rendit maître des lieux, mais, d'une ruelle, les troupes ennemies contre-attaquèrent. Le capitaine aux yeux d'acier ordonna immédiatement le repli. Quelques-uns furent fauchés dans la manœuvre. Anabia détala sans encombre, se demandant si on ne lui avait pas menti à l'école des mousquetaires. La guerre n'était-elle qu'une suite interrompue d'assauts ? Ne s'agissait-il que de grignoter quelques mètres ? D'ordonner un flux et reflux de troupes, une marée cannibale, jusqu'à ce qu'il ne reste plus un homme debout ?

C'était bien ça. Le chef lança une autre offensive. Anabia et ses frères d'armes se retrouvèrent de nouveau dans les ruelles, désertes, du village. Personne ne comprit rien jusqu'aux cris déments d'un cavalier. À travers la brume, Anabia eut la vision floue d'un groupe qui sortait d'une grande bâtisse. Les Hollandais chargeaient à revers.

Par réflexe, les compagnons d'Anabia formèrent un groupe compact. Tous chargèrent à bride abattue. Ils se retrouvèrent devant leurs ennemis en infériorité numérique.

Anabia reçut un choc formidable dans les jambes, suivi d'un coup d'épée à l'épaule. Il se retrouva à terre. Par chance, un cheval abattu gisait devant lui.

Il plongea sa tête dans le flanc de la bête et ne bougea plus.

De son bras perlait du sang. Dans cette posture, la mort allait le délivrer. Pourtant, il se sentait bien. Il parvint à bouger ses orteils. À remuer le cou. À agiter ses doigts. Il pouvait s'élancer et jeter toutes ses forces dans la bataille.

Il l'aurait fait, sans doute, quitte à perdre la vie, si un corps ne lui était lourdement tombé dessus.

Celui qui gisait sur sa poitrine était un ennemi. Aussi blond et pâle qu'il était brun et sombre.

L'instinct commanda à Anabia de ne pas bouger. Il baissa les yeux pour contempler la silhouette mise en pièces qui l'écrasait. Il ne vit qu'une bouillie de chair percée par des os à vif. Le visage, jeté en arrière, grimaçait horriblement. « Et s'il trouvait la force de me tuer ? » se demanda Anabia.

À Dieu ne plaise, s'il devait mourir à cet instant, autant que cela fût dans le combat. Il voulut se relever, mais ne parvint pas à se défaire du corps massif du Hollandais. Cloué au sol, les épaules dans la boue, il sentit sur sa poitrine la respiration de l'ennemi qui gémissait. Ce corps à corps, ces cœurs qui battaient à l'unisson tarirent ses pulsions guerrières. Il se sentit calme et pensa à sa réplique fanfaronne dans le salon littéraire. Il ne souhaita plus rien de mal à la « hyène hollandaise » allongée au-dessus de lui. Il supplia même :

— Va en paix, va en paix.

Autour de lui, debout, décimés, fous de rage, ses compagnons frappaient comme des lions blessés. Folie contre folie, on tuait sans relâche. Les canons et les pistolets ne servaient plus à rien. On poignardait dans les yeux, on étripait, on étalait les entrailles.

Les visages se touchaient presque. Les murs se couvraient du sang mêlé des hommes et des chevaux. Les soldats s'étalaient dans un océan de viscères et de membres coupés. Des déments riaient. Des possédés bondissaient comme des chacals. Dès que l'un d'eux s'écroulait, il s'en trouvait toujours un autre pour l'achever. Il ne fallait surtout pas laisser au mourant la paix d'un dernier soupir.

Anabia ferma les yeux pour échapper à l'horreur. Il se sentait incroyablement faible et voulut boire. Une gourde traînait au flanc de son ennemi. Il s'en empara d'une main tremblante. Il allait s'abreuver, mais pensa que l'ennemi avait soif, lui aussi.

Anabia présenta l'eau au visage du Hollandais. Celui-ci crut qu'on lui portait une arme pour l'achever. Il ramassa le peu de forces qui lui restaient, saisit sa dague, se retourna et planta Anabia dans l'aine. Le prince d'Assinie s'évanouit de douleur.

Avant de sombrer, il vit très distinctement le roi Zuma, raide sur son lit, le corps en décomposition.

Zuma était mort. Le chevalier d'Amon l'apprenait dès son arrivée sur la Côte d'Or.

Tandis qu'Anabia luttait dans un village des Flandres, le navire armé par la Compagnie de Guinée jetait l'ancre devant la lagune d'Assinie. L'équipage se frottait à un matin brûlant. Le cousin de Marguerite de Caylus parcourait le pont de son navire en tous sens, courbant la tête sous le soleil, présentant à ses hommes le visage inattendu d'un coq rose vif, perlé de sueur.

D'Amon s'interrogeait. Comment composer avec le nouveau souverain d'Assinie, et surtout, surtout, dans ce nouveau dispositif, que faire d'Anabia ?

Vers midi, une pirogue franchit la barre. À son bord, encadré par deux pêcheurs, se tenait Shanga, l'ami d'enfance d'Anabia.

— Zuma n'est plus de ce monde, s'étrangla d'Amon. Qui diable l'a remplacé ?

— Son cousin Akassiny, seigneur de Soco, capitaine de notre armée, s'est emparé du trône, répondit Shanga. Zuma n'a pas nommé de successeur. Akassiny s'est montré le plus fort. Il vous attend.

De fait, Shanga prit la main de d'Amon et le conduisit à la pirogue. Surpris, mais heureux du contact, le chevalier se laissa faire et dégringola l'échelle accrochée au flanc du vaisseau. La barre franchie sans difficulté, les deux hommes gagnèrent Soco, entourés d'un cortège imposant.

Devant le palais, d'Amon détailla les enceintes en nervures de palmier raphia. Il ne put s'empêcher de rire *in petto* de ces roseaux : « Et dire que ces sauvages osent parler d'une résidence royale ! »

Il gravit sans peine la muraille et redescendit dans la première cour qui abritait l'appartement des femmes. Il s'arrêta un moment et se promit de visiter plus tard cet endroit qui lui rappelait un harem maure où il avait eu ses habitudes. Il prit du retard, palpa son sexe et s'empressa de rejoindre Shanga qui l'attendait devant les sentinelles.

Dans la cour royale, cinquante hommes équipés de fusils protégeaient la case d'Akassiny. Le dispositif militaire s'était considérablement renforcé depuis la visite des Français. D'Amon douta. Le bon Zuma était-il remplacé par un féroce guerrier ? La disparition du soleil derrière l'enceinte du palais renforça le malaise. La nuit tropicale tombait comme un couperet. Des torches projetaient leur éclat sur un ciel bleu marine.

Avant d'entrer chez le roi, Shanga avertit d'Amon qu'il devait mettre un genou à terre devant le trône. Le chevalier blêmit. Dix années auparavant, il avait déjà refusé ce cérémonial. Titre de plénipotentiaire en poche, il n'allait pas plier. Fermement, il expliqua que jamais il ne s'afficherait aussi soumis. Plutôt regagner son navire. Aimablement, Shanga lui répondit qu'il s'agissait d'une marque de politesse. S'il ne voulait pas s'y astreindre, eh bien, ce n'était pas grave, l'Assinie avait le sens de l'hospitalité.

Franchissant la porte du monarque, d'Amon découvrit sur son trône un très vieil homme de soixante-quinze ans. La barbe était tressée comme celle de Zuma, la même pipe pendait à une bouche baveuse.

Aquio-mingo. Le chevalier avait encore en tête les mots de bienvenue. Mais cela l'agaçait d'articuler la langue du pays. Il se détourna du roi, parcourut les visages, s'attarda sur celui de Niamkey, frère cadet d'Akassiny, Monsieur frère comme on disait à Versailles, et fixa Shanga, l'interprète :

— Dites au roi : « Mon ami, comment va la famille ? »

— Bien, bien, mes femmes sont belles et les petits grandissent, répondit machinalement Akassiny.

D'Amon renifla bruyamment. Il s'était juré d'apparaître agréable. Plaire était sa mission. Mais il ne trouvait pas les mots. Le monarque s'engouffra dans le silence.

— Les Français ont manqué de parole. Vous avez pris possession d'Assinie il y a très longtemps. Vous êtes repartis avec la promesse de revenir l'année suivante. J'ai vu passer dix années.

Le ton était rude, la partie s'annonçait difficile. En la personne du chevalier, ce n'était plus un coq dédaigneux qui faisait face au roi d'Assinie, mais un poussin.

— Sans mon affection pour vous, j'aurais cédé aux Hollandais, tricha le vieillard. Ceux du fort de La Mine m'ont sollicité pour s'installer ici. J'ai reçu des cadeaux. Mais j'ai répondu que je ne voulais pas d'autre nation que celle du Roi-Soleil. Que voulez-vous, j'ai le cœur français.

— À Versailles, personne n'a oublié Assinie, reprit d'Amon, estomaqué par cette dernière réplique. Si nous n'avons pas exécuté ce qui a été promis au sujet de la forteresse, c'est que notre roi fait la guerre contre toute l'Europe depuis neuf années. Mais la paix va être signée. Nous allons travailler à notre établissement.

— Tout de suite ? Et l'argent ? Monsieur, il faut payer pour construire un fort. Le commandant Ducasse a promis soixante onces d'or !

— Le roi a jugé à propos de n'entrer dans aucune dépense sans l'assurance que notre entreprise serait bien reçue, répliqua d'Amon sans se démonter. Nous n'avons pas été là depuis près de dix années ! Mais à la lecture du rapport que je ferai à mon retour, je vous assure que des vaisseaux partiront.

— Quand ?

— Vous les verrez arriver, disons, dans une année au plus tard.

— C'est trop long. Je veux connaître vos propositions sur-le-champ !

— J'ai réfléchi, improvisa d'Amon. Je vous propose un traité officiel. Le premier traité entre l'Assinie et la France. S'allier à la France, c'est s'enorgueillir d'appartenir à la nation la plus grande, la plus active, la plus cultivée de l'Univers. Rédigeons ce traité ensemble…

Akassiny frappa des mains en signe d'approbation. On attendit un long moment qu'un esclave trouvât dans un coin du palais une plume et un morceau de parchemin. Enfin, les palabres s'engagèrent. On buta encore sur les soixante onces d'or. D'Amon ne comprenait rien à cette exigence. De l'or, il y en avait partout en Assinie. Comme gage des intentions françaises, le chevalier proposa de débarquer quatre hommes à terre, avec vivres et marchandises pour une année.

La lune était haute quand Shanga traduisit le pacte :

— « J'accepte la construction par les Français d'un fort équipé de canons. Je fournirai gratuitement la pierre et tous les matériaux. J'accepte de faire connaître aux Français nos mines d'or et de leur en donner la possession. Je garantirai la sécurité des esclaves qui y travailleront. Sur la côte, je fournirai les canots pour débarquer gens et marchandises[1]. »

D'Amon signa, puis le roi Akassiny. On allait se séparer lorsque le nom d'Anabia résonna dans la case.

— Pourquoi Anabia n'est-il pas venu avec vous ? s'enquit l'autocrate.

1. Cité *in* Paul Roussier, *L'Établissement d'Issigny 1687-1702, relation du voyage de Guinée fait en 1698 par le chevalier d'Amon*, Paris, librairie Larose, 1935, p. 76.

— Anabia est la preuve vivante de l'attachement de Sa Majesté pour l'Assinie. Il fait la guerre chez nos mousquetaires. Anabia est officier. Jusqu'où grimpera-t-il dans notre armée ?

Le chevalier marqua une pause et se gratta le menton. Il hésitait. Le nouveau souverain attendait-il le prince en exil ? En sauveur, vraiment ? La question ne pouvait être posée que par un âne. L'occasion était belle de tester le monarque :

— Les bons traitements de Louis XIV lui ont fait presque oublier sa patrie, ajouta-t-il malicieusement.

Akassiny et, plus encore, son frère Niamkey parurent rassurés. On se sépara épuisés, mais heureux.

Avant d'appareiller par un vent de sud-ouest, le chevalier d'Amon passa encore deux journées à la cour d'Assinie. Le vieux croulant, comme il l'appelait, donna une fête en son honneur. La réjouissance eut le mérite de le divertir et l'inconvénient de l'éloigner de son projet initial. Il avait caressé l'idée de se rendre aux mines d'or. Shanga lui confirma qu'elles étaient situées à huit journées de route, dont trois de navigation par la rivière. La cargaison qu'il devait conduire aux Antilles risquait de souffrir du voyage. Il hésita. La paresse l'emporta.

Entre deux femmes, il prit soin de noter les avantages stratégiques du fort qu'il s'était engagé à bâtir. Assinie serait la tête de pont d'un ensemble vaste qui comprendrait des établissements sur toute la Côte d'Or. La France, appuyée par des garde-côtes, pourrait interdire le commerce à la cinquantaine de navires interlopes, hollandais et anglais, qui avaient la désagréable habitude de relâcher dans les parages.

Le jour du départ, Niamkey prit la tête du cortège qui raccompagna d'Amon à la mer. Sur le parcours, une foule en liesse chanta le nouveau refrain à la mode : « Vive le roi de France ! »

Le frère du roi dansa dans tous les sens, frappant les parois d'un coquillage, tel un gamin et son tambour. Sur la plage, il sortit de son pantalon un drapeau blanc marqué d'une fleur de lys grossièrement dessinée. À l'adresse des sujets de son frère, avisant un jeune soldat qui fixait l'étendard au sommet d'un arbre, il beugla dans sa langue :

— Que tous ceux qui débarquent soient avertis de la nouvelle alliance avec la France !

D'Amon eut envie de gifler ce prince : parler de la France dans cette tenue relevait de l'insulte. Mais il sut se contenir. Les lèvres pincées, au pied du canot qui l'attendait pour passer la barre, il se travestit en ambassadeur :

— La France vous remercie. Prince Niamkey, frère du roi Akassiny, peuple d'Assinie, je vous exhorte à persévérer dans les bons sentiments que vous avez pour notre nation. Je vous assure de notre parfaite reconnaissance. Nous chercherons avec empressement les occasions de vous faire plaisir sitôt que nous serons établis.

Shanga traduisait approximativement. Un bruit de gorge, sur le mode interrogatif, perça la foule.

— Anabia ?

D'Amon, concentré sur la fleur de lys, fit mine de ne rien entendre. Ignorant la populace, il se jeta dans son canot et leva l'ancre. Après un crochet par les Antilles pour décharger ses soutes et les remplir de rhum, il mit le cap sur Lorient, impatient de conter son aventure à la Compagnie de Guinée.

Chapitre VII

Entre deux draps

ABANDONNÉ DANS LE VILLAGE DÉVASTÉ, ANABIA PASSA LA NUIT ENTIÈRE ÉVANOUI au creux du cheval mort.

Un soldat, les yeux rougis par la fatigue et l'émotion, l'éveilla en le soulevant de terre. Jeté dans une charrette, vivant parmi les cadavres empilés, il traversa d'immenses champs de coquelicots, comme si le sol rendait le sang dont il était gorgé.

Un chirurgien rapiéça les plis de son bas-ventre. Il en fut quitte pour une méchante cicatrice. Replié sur lui-même, le poing instinctivement porté sur sa blessure, il avait perdu peu de sang pendant son évanouissement.

L'officier aux yeux bleu acier décida de le renvoyer à Paris, en convalescence, dans une bâtisse des bords de Seine. Le roi avait pompeusement baptisé hôtel des Mousquetaires un casernement qui se trouvait au cœur de la ville, sur la rive gauche du fleuve. Une chambre d'officier l'attendait là-bas.

Incapable de poser le pied par terre, il quitta les Flandres dans un état second. Il ignorait jusqu'à quel point son corps était touché. Mais, plus encore, il redoutait de traîner l'ombre du Hollandais fauché à ses côtés… et le tombeau de tous les autres.

Sitôt la voiture engagée sur la piste, en dépit de ses vertèbres cervicales ankylosées, il pencha son visage par la fenêtre. Il aimait, nez au vent, sentir la vitesse. Pour lui, elle avait une odeur. Cette sensation remontait à son enfance, bien avant qu'il ne découvre la France, ses voitures, ses chevaux, sa rapidité en tout.

On était à la saison humide, lorsque le vent et la mer peuvent se déchaîner et détruire les villages. Il faisait très chaud, très lourd. De petites gouttes de pluie piquaient le sable de la plage. Bien que la menace d'une mer déchaînée fût palpable, il avait résolu de nager au-delà de la barre. Son ami Shanga devait piloter la pirogue et surveiller son bain. Après quelques hésitations devant la mer, Shanga avait sagement décidé de remettre l'expédition au lendemain. Hardi, Anabia avait dit qu'il irait seul affronter l'écume.

Il avait mis l'embarcation à l'eau, puis s'était avancé en direction de la barre qui grossissait démesurément. Elle lui avait fait penser à une dune. Mais, galvanisé, il l'avait affrontée de face. Sa pirogue s'était renversée. Il avait alors éprouvé cette incroyable sensation de vitesse. Il était aspiré par le fond et, se disait-il encore bien des années plus tard sur les chemins de Flandres, il avait failli mourir.

Son cœur s'était presque arrêté de battre. Ses bras et ses jambes avaient cessé de mouliner. Après une éternité, il avait de nouveau crevé la surface de l'eau. L'occasion de respirer un brin et, hop ! il était reparti.

Telle une lance, il avait été catapulté dans le tube que formait la vague. Le ventre posé sur l'écume, mais la tête bien relevée, il avait surfé sur des centaines de mètres. La peur avait cédé à une joie extraordinaire. Son corps, porté dans un puits ruisselant, s'était avancé à toute allure vers une lumière éclatante, tout au bout du tunnel. Il avait hurlé de bonheur et ri comme un fou.

Il était un dauphin. Il gardait en mémoire les mille reflets sur la surface bleu-noir de l'eau. Il se souvenait encore avec précision du visage stupéfait de Shanga au moment où il avait refait surface, à quelques mètres du bord. Il avait ri de plus belle sur la plage. Reprenant son souffle, il avait raconté à Shanga combien cette expérience aux frontières de la mort était la plus belle de sa vie.

Le visage froissé par le vent, Paris en ligne de mire, il laissait remonter sous sa peau la vitesse.

La vision fugitive d'un bras osseux le tira de sa rêverie. La voiture était passée devant un mendiant sans arrêter sa course. Il avait vu le cocher jeter distraitement un peu de pain par-dessus bord. Cet enfant allait manger ce soir. Mais les autres ?

Depuis son arrivée en France, Anabia était bouleversé par le spectacle de la disette. On ne crevait pas de faim en Afrique. Il y avait toujours quelqu'un de la famille pour nourrir un être affamé. À l'inverse, la misère était terrible dans les campagnes de France. Pour un paysan, c'était un exploit que de parvenir à l'âge d'homme. « Il faut deux enfants pour faire un adulte », disait-on dans les villages. Un scandale ? Le Roi-Soleil se moquait éperdument des troupeaux d'hommes et de femmes crevant de faim dans toutes les provinces.

À l'approche de Paris, les voitures étaient de plus en plus nombreuses. Anabia regretta brusquement d'arriver si vite. Habitué au voyage, au défilé permanent révélé à travers sa fenêtre, il redouta l'immobilité. Il se sentait dans la cabine comme dans une carapace, bien à l'abri, protégé.

Qu'allait-il se passer à Paris ? Marguerite ferait-elle le voyage depuis Versailles ? Il se sentit menacé par la solitude. L'angoisse lui étreignit la poitrine.

La voiture franchit les portes de la ville après la traversée d'un vignoble. Il était sept heures du soir. Les rues brillaient des feux de milliers de lanternes réparties à intervalles de vingt pas. Plus que la foule, c'était le bruit qui caractérisait Paris. Les charrettes à bras, les carrosses, les coches, les fiacres, les chaises à porteurs rivalisaient de vitesse dans leurs déplacements en jouant une partie sans règles qui consistait à provoquer le plus de hurlements, d'insultes et de rires. Quel désordre ! Mon Dieu, comme l'Afrique était sage et immobile, réglée depuis la nuit des temps sur le spectacle de la nature !

En quittant la voiture, soulevé par deux soldats, Anabia apprit une nouvelle extraordinaire. La paix venait d'être signée. Le roi médiateur suédois Charles IX et le ministre des Affaires étrangères Pomponne étaient parvenus, dans le bourg de Ryswick, près de La Haye, à rapprocher Louis XIV de ses ennemis. La France restituait la plupart des places qu'elle avait conquises. Et tant pis si le Roi-Soleil n'avait pas tenu ses promesses de conquêtes, on allait pouvoir penser à autre chose. À l'Afrique ?

Dans sa chambre, la tête déboîtée sur son oreiller, Anabia s'endormit comme une masse. Au réveil, torse nu, en culotte d'un blanc douteux, il frotta frénétiquement son corps pour lui redonner vie. Puis il secoua ses cheveux pour chasser les idées noires de son cerveau.

Il ne songeait qu'à retrouver Marguerite.

Il se redressa, contempla par la fenêtre la lumière blanche de l'aurore et décida de lui écrire un billet. La donzelle jugerait les mots maladroits ? Qu'importe. La pureté de l'intention l'emporterait.

Anabia griffonna pendant une bonne heure. Il écrivait pour la première fois une lettre d'amour. Il jugea le résultat nul, mais charmant. Comme si sa vue se brouillait, il tendit la main pour éloigner le papier d'un bon demi-mètre et lut d'une voix de basse :

La voyez-vous ? Vous dites non.
Hélas ! j'en dis autant moi-même.
La belle et charmante Marguerite,
La voyez-vous ? Vous dites non.
Je ne la vois plus, tout de bon,
La voyez-vous ? Vous dites non.
Hélas ! j'en dis autant moi-même.

Marguerite n'avait pas oublié Anabia.

En fait, le manque avait changé l'attraction d'un soir en pure idolâtrie.

Elle pensait à lui chaque jour. Elle fredonnait intérieurement la mélodie de sa voix. Elle recomposait dans sa mémoire sa gestuelle balancée. Elle se souvenait de ses mains fines. Elle s'essayait à retrouver, au contact d'un meuble, ou sur l'écorce d'un arbre, la texture de sa peau. Elle faisait un effort pour se rappeler toutes les nuances de ses yeux. Ils étaient verts, mais après ?

C'était une espèce de miracle que personne, dans Paris et Versailles, ne soupçonnât leur aventure. Marguerite mesurait les risques de cette liaison. Sa protectrice, sa vague « marraine », la très bigote madame de Maintenon, l'aurait jugée très négativement. *A priori*, cette découverte aurait même eu des conséquences désastreuses. *A priori*, les portes du monde se seraient refermées dans un bruit de cymbales.

Marguerite, sur le fil, jouait sur cet *a priori*. Les mœurs étaient une chose étrange à Versailles. Qui sait, Sa Majesté aurait peut-être trouvé follement drôle, passionnément exotique, une romance entre la « nièce » de madame de Maintenon et un prince qui, après tout, était son filleul ?

Autre chose : le marquis de Caylus, hébété depuis des années par le vin et l'eau-de-vie, ne touchait plus sa femme. La nouvelle d'un mari léthargique n'avait rien de sensationnel à la cour. Mais elle suffirait, en temps et en heure, à disculper l'épouse volage. Peut-être.

Bien décidée à vivre son aventure, Marguerite n'attendait qu'un signal de son amant. Sa position était arrêtée. Elle avancerait. En prenant garde aux faux pas. *A priori*, elle passerait le reste de son existence dans les principes de son éducation. Plus tard, la raison viendrait à dominer leur belle histoire d'amour. Le temps ferait son œuvre. En attendant, il fallait s'abandonner.

Elle reçut les vers d'Anabia sans surprise. En réponse, elle proposa à son amant un rendez-vous galant à Paris, loin des vipères de Versailles.

Anabia était en avance au rendez-vous, jardin des Tuileries. Tout heureux de constater que sa jambe ne le faisait plus souffrir, il avait gambadé depuis l'hôtel des Mousquetaires.

Les berges offraient à son regard un spectacle brouillon. Un fort courant striait le cours du fleuve aux reflets bruns et aux contours mousseux. Les mariniers chassaient les mouettes. Le vent était fort. Il apportait par l'ouest des nuages épais qui n'allaient pas manquer de s'épandre.

Marguerite, une domestique en embuscade, apparut aux premières gouttes de pluie. Directe, elle dit d'une voix affectueuse :

— Prince, tu m'as touchée, tu m'as eue.

Par un drôle de mécanisme, Anabia ne fut pas trop ému par la déclaration de la jeune femme. Quelques jours plus tôt, quelques heures plus tôt, il aurait donné sa vie pour un pareil aveu. Il avait souffert. Et voilà qu'elle était là, amoureuse. Il ne sut que répondre. Elle poursuivit :

— Pardonne-moi d'avoir été distante. Mais c'est oublié, n'est-ce pas ? Je suis heureuse de te retrouver. J'entends vivre à ma guise mes sentiments.

Anabia, suffoqué, se demanda si c'était l'orage qui noyait les convenances de sa maîtresse. Incapable de répondre, il se rendit compte qu'il avait au moins une certitude : de toutes ses forces il voulait glisser sa main sous sa robe.

La pluie se mit à tourbillonner plus fort. Dans le jardin, les passants baissaient la tête pour ne pas êtres aveuglés. Anabia concentra son regard sur celui de Marguerite. Jamais ils ne s'étaient embrassés en public. C'était le moment. Quand il l'enlaça, elle se dégagea et dit sur un ton plein de douceur :

— Personne ne doit connaître notre aventure.

— Qu'importent les rumeurs puisque nous nous aimons ? répondit Anabia.

— Ce n'est pas Versailles qui m'importe, c'est mon honneur.

— Ton honneur ? Mais mon respect égale mon amour. Ne lutte pas contre toi-même.

— J'ai une famille à respecter.

Anabia la contempla avec perplexité. Marguerite se ressaisit. Exaltée, comme pour elle-même, avec l'air dramatique de celle qui scelle son destin, elle soupira :

— Tu as raison. Quand on possède ce que l'on aime, on possède tout l'Univers. Il n'y a plus de père, de mère, de parents. L'objet aimé tient lieu de tout. Suis-moi.

Frigorifiés, suivis à distance par la domestique, les jeunes gens avançaient mécaniquement dans les allées du jardin. Au loin, on entendait les rires d'une foule qui se pressait autour d'une charrette. Sa roue avant était brisée. Dans la manœuvre, un carambolage s'était produit avec un carrosse. Un laquais fou furieux avait bondi du véhicule. Il hurlait, expliquait que son maître avait une audience, cela ne pouvait pas attendre.

Le conducteur de la charrette ne l'écoutait pas. Il était décidé à réparer son véhicule à même la chaussée. Bravant les injures, une silhouette filiforme sortit du carrosse.

De leur côté, Marguerite et Anabia quittaient les Tuileries. Le couple et l'homme décharné tombèrent face à face.

En premier lieu, Marguerite et Anabia refusèrent de croire à cette apparition. Mais il fallait céder et se rendre à l'évidence. D'Amon les dévisageait en leur adressant un bonjour pour signaler sa présence.

Instantanément, le prince d'Assinie eut envie de lui cracher à la figure, Marguerite de cogner sur son nez. « Un phare extraordinaire pour éclairer sa laideur », songeait-elle. Le chevalier se précipita sur eux, puis les étreignit, en s'écriant :

— Quelle chance, prince Anabia ! J'allais à votre rencontre à l'hôtel des Mousquetaires. Et vous, cousine, comme je suis heureux de vous revoir. Mais prenez place dans ma voiture pendant que ce bougre s'affaire.

Anabia, blême, ferma la porte du carrosse en claquant des dents. Marguerite fixa son cousin dans les yeux. Elle pensa : « Ce porc s'imagine-t-il que je travaille pour lui ? », et énonça :

— Le ciel se découvre, l'été tiendra encore quelques semaines.

— Vous deux, vous deux, quelle surprise ! renchérit d'Amon. Ma cousine et notre héros des Flandres, Sa Majesté d'Assinie…

Interloqué, Anabia vissa son regard dans celui du chevalier. Que voulait dire ce « Majesté d'Assinie » ? Chaque mouvement de d'Amon trahissait une singulière disposition d'esprit. On le sentait charmeur, et absolument pas troublé par le hasard de cette rencontre. Il redoublait d'amabilité, s'inquiétant de l'ennui qui devait s'abattre sur un mousquetaire en temps de paix.

La comédie se serait éternisée si Anabia n'avait interrompu les flatteries par un retentissant :

— Que me voulez-vous, monsieur ?

Le chevalier se redressa, courba ses maigres épaules, se préparant pour une révélation :

— Zuma est mort. Mon ami, la disparition de votre père doit vous causer une peine épouvantable.

Marguerite détourna la tête. D'Amon, l'air pénétré, évaluait la réaction du prince d'Assinie. Que pouvait-il dire ? Qu'il n'éprouvait rien, strictement rien ? Il visualisa furtivement le visage de Zuma. Celui de sa mère se superposa. Puis le corps nu de Marguerite. La sollicitation du chevalier n'était pas neutre. La Compagnie souhaitait son retour sur le trône. Rapidement. Son représentant enchaîna :

— Assinie vous attend. Grâce à vous, les Bantas, votre peuple soumis, recouvrera la liberté.

— Mais il y a bien un roi sur le trône ? s'enquit Anabia.

— C'est Akassiny. Mais c'est un vieillard qui n'a pas nommé de successeur. Dans mon esprit, Akassiny est une sorte de régent. L'Assinie attend son roi véritable. Un trône vous attend, Anabia, fils du roi Zuma.

— Et si les Namos refusent de reconnaître un prince qui n'est pas de leur clan ? provoqua Anabia.

— Eh bien, il faudra les contraindre, assura d'Amon. Leur faire comprendre que vous êtes le filleul de Louis XIV. Que, courtisan à Versailles, vous avez vécu parmi les princes les plus riches, les ministres les plus puissants, les évêques les plus respectés. Qui serait assez fou pour vous défier ?

Anabia ne demandait pas au chevalier de se livrer à une leçon de politique étrangère. Cela lui paraissait même terriblement prétentieux de sa part. Il revint à ce qui constituait, pour lui, l'essentiel. L'or.

— Avez-vous vu les mines ? s'enquit Anabia, dont la poitrine battait la chamade.

— Prince d'Assinie, nous tenons un second Pérou. L'existence de la grande mine d'or ne fait aucun doute. Le moment est venu de réunir nos forces, mon cher ami.

— Bien, bien, bien, fit Anabia, l'esprit emmêlé.

— Il faut agir vite, trancha d'Amon. Envoyez dès ce soir un courrier au roi. Disons, faites-lui comprendre que, tout acquis à la France, vous souhaitez rentrer dans votre pays pour faire valoir vos droits et monter sur le trône. C'est compris ?

C'était compris. Les signes de déférence périssaient à la vitesse de l'éclair dans la bouche du chevalier. Anabia voyait bien qu'il n'avait pas d'autre choix que d'exécuter les ordres.

On frappa à la porte du carrosse. « La voie est libre », avertissait le laquais. Marguerite sentit son estomac remonter dans sa gorge. Sans ciller, elle avait écouté son cousin formuler son dispositif de conquête. Jamais elle n'avait vu le chevalier dans cet état, si vigoureux, si certain de sa puissance, la violence bouillonnant au coin de la bouche. Soudain, elle prit peur pour Anabia.

La porte était ouverte. Un immense embarras s'empara du trio. Chacun allait-il partir de son côté ? Déterminée, Marguerite prit les devants :

— Poursuivons notre promenade, prince Anabia...

D'un carrosse à l'autre, Marguerite tapa un coup sur la cloison. La voiture s'ébroua dans les flaques. Les rideaux étaient tirés, les couvertures dépliées sur les genoux, les portes fermées de l'intérieur... Le voyage allait prendre un tour prévisible. À la cour, chacun savait que Louis XIV arrêtait souvent son véhicule sur les chemins. Le signal du redémarrage était marqué par le râle d'une femme, sincère, ou mimé, parfois attribué à madame de Maintenon. L'exercice occupait en tout cas l'imagination de nombreux pensionnaires de Versailles. Marguerite, comme les autres, avait fréquemment divagué sur cette vision. Le temps pressait. Combien de jours avant le départ d'Anabia ? Combien de jours à s'abandonner, combien de nuits à soupirer ? Marguerite prit les doigts fins de son amant et intima :

— Caresse-moi !

La comtesse trouvait que rien n'était meilleur qu'une main glissée sous sa toilette. Au début, les frôlements du prince l'irritèrent. Puis, à mesure que sa vulve gonfla, que les doigts de son partenaire l'inondèrent, une onde délicieuse l'envahit. Elle se contrôlait parfaitement.

Quittant Paris, elle voulut prendre le sexe d'Anabia dans sa bouche. Elle disait qu'elle en avait envie, follement envie, que ça lui faisait comme des fourmis au bout de la langue, mais il refusa, de peur de jouir. Il voulait rester dans ce plaisir-là, lui aussi.

Quand le carrosse s'immobilisa dans une clairière de la résidence royale de Saint-Cloud, Anabia, assuré de ne pas trébucher, tourna autour de Marguerite, et plaça sa bouche sur le clitoris de sa maîtresse. Sans doute parce que les hommes de la cour y répugnaient, Marguerite adora cette étreinte. Anabia l'effleura, l'air de rien. À fleur de peau, il finit par se glisser entre ses cuisses.

Ils délaissèrent la langue française pour un dialecte de leur invention, grammaire dont ils étaient les seuls dépositaires, série ininterrompue de fous rires, de mimiques, de glissades et de petites clameurs. Anabia était le premier homme avec qui Marguerite faisait véritablement l'amour. Elle trouvait que le corps de son prince était *fait* pour l'amour. Ses muscles bombés la rendaient folle. Elle reniflait son odeur comme un animal sauvage. Elle se disait qu'elle n'aurait plus jamais froid. Plus jamais mal. Qu'avec son grand diable d'Africain, jamais le malheur ne viendrait la frapper. Elle se réjouissait de savoir le paradis si près de la Terre. Elle se disait qu'il devait être magicien pour lui donner tout ça. « Mon trésor, mon Anabia, mon amour, viens, viens, viens, le ciel de France se colore de flamants roses… »

Après, ils ajustèrent les plis de leurs habits et rallièrent une nappe disposée sur l'herbe. Marguerite avait prévu un déjeuner bucolique.

Les amants reprirent leurs esprits un verre de champagne à la main. Visiblement satisfait d'un gibier bouilli accompagné de fruits, Anabia dévora. Le nez dans son assiette, Marguerite mangea timidement. Pourtant heureux, Anabia était incapable de chasser l'Assinie de son esprit :

— Akassiny et sa clique, ces usurpateurs, ils ne vont pas en revenir, grogna Anabia. Mon peuple peut compter sur moi.

— Alors, j'ai devant moi un libérateur, soupira Marguerite sans masquer son ironie.

— Ne te moque pas, je t'en prie. Les Bantas sont asservis depuis des années. J'accomplirai mon devoir sur la terre de mes ancêtres. J'honorerai la France, qui m'a tant donné, et je chasserai les tyrans.

— Vraiment ? Tu es si sûr de toi… Tu iras jusqu'à renverser un trône ? Tu chasseras ta famille adoptive ? Tu feras couler son sang ? Réfléchis, Anabia. La partie est compliquée. Imagine que les Namos refusent ton jeu. Tu aimes le billard. Rappelle-toi que c'est d'Amon qui tient le jeu de sa main de fer. La boule, c'est toi.

— Comment ? reprit Anabia, blessé. Je vais débarquer en Assinie en vrai roi, non en candidat à la succession. Ou Akassiny se démet, ou je le chasse. Il ne peut rien contre moi. La Compagnie mise tout sur moi. L'heure est arrivée. Je ne m'appartiens plus. Je suis placé entre les mains de Dieu.

Marguerite frissonna. Elle n'aimait pas ces invocations sans queue ni tête. Non qu'elle les jugeât blasphématoires, mais il lui semblait plus utile de ne réveiller Dieu qu'en toute dernière extrémité. Marguerite avait un certain sens pratique. À gâcher les supplications, à les éparpiller à tout bout de champ, on risquait bien de ne plus se faire entendre à l'instant le plus crucial. Anabia poursuivit :

— J'ai réfléchi. Je veux m'asseoir sur les bases officielles d'un pouvoir à l'européenne. Je vais demander au roi qu'il m'accorde la protection de la Vierge.

Je veux que mon parrain ordonne à mon profit un ordre militaire et religieux.

— Ton parrain ? Ah ! j'oubliais, le Roi-Soleil. Mais tu délires, mon pauvre.

— Tu te moques encore ? Mais je suis très sérieux. Je veux un ordre sur le modèle de celui du Saint-Esprit. Parfaitement. Et j'espère bien que le pape lui-même donnera son agrément.

— Le filleul est devenu fou, j'en étais sûre, serina Marguerite.

— J'ai même trouvé un nom. C'est en hommage à ce jour béni, peu après mon arrivée à Paris. J'étais seul à Notre-Dame lorsque la grâce m'a foudroyé. L'ordre sera appelé l'Étoile de Notre-Dame.

— L'étoile ? Mais quelle étoile ? Tiens, je ne t'avais pas encore révélé cet aphorisme – on le dit chinois : « Le sage désigne la voûte céleste, le sot regarde l'index. » Vois au-delà de ton petit doigt.

Une pensée minable assaillit le jeune homme : un peu plus tôt, elle l'avait bien apprécié, ce petit doigt. Il s'abstint de faire écho à son raisonnement et fut immédiatement soulagé d'être si sage.

Marguerite hésita. Elle eut la tentation de tout lui dire sur les intentions de d'Amon. N'était-ce pas le bon moment pour révéler que son cousin avait voulu la corrompre ? Mais c'eût été semer le trouble sur ses intentions initiales, et perdre un peu de la confiance d'Anabia. La jeune femme jeta un coup d'œil circulaire dans la forêt et avertit son ami qu'il était temps de se séparer, on l'attendait à Versailles.

Dans la pénombre jaunie de sa chambre, Anabia arrêta sa position au milieu de la nuit. Un massacre lui avait fait abandonner l'Afrique, un autre scellait son retour.

D'Amon avait raison. L'or d'Assinie lui permettrait de devenir riche, d'éblouir chaque jour Marguerite et de conserver ses faveurs jusqu'à la nuit des temps. C'était bien la seule chose qui comptât dans sa vie. Il ne voyait que des avantages à relever le défi d'un trône. Le mari de sa maîtresse était marquis. Avec lui, elle serait reine !

Partir pour l'Assinie ne signifiait pas dire adieu à son amour. Loin s'en fallait. Il pouvait régner un temps et céder sa place à son ami Shanga. Les soutes pleines de pépites, ne pouvait-il pas envisager un retour à Versailles après un crochet à Soco, et profiter paresseusement de son rang ?

Restait à réussir la lettre qu'il voulait adresser au roi. Sur quel ton ? La supplique ? Non. Il fallait faire preuve d'audace et de sang-froid, comme il sied à un monarque.

L'inspiration ne pouvait pas venir ainsi, dans le clair-obscur de sa chambre. Il descendit prudemment les escaliers de l'hôtel des Mousquetaires et déambula sur les bords de Seine.

Il forma des mots dans son esprit. Il affina sa stratégie. Il trouva malin de calquer son ambition sur la personne de Jacques d'Angleterre, souverain exilé à Saint-Germain. Comme cette existence était douce ! À hauteur de la rue Saint-Jacques, une prostituée l'aborda. Il était resté fidèle à Marguerite depuis leur première nuit d'amour. Sans calcul. Les bordels de campagne l'avaient effrayé. Cependant, il éprouva un désir violent pour la putain. Il se sentait malin, puissant. Il prit la femme contre un mur.

À son retour, guilleret, il écrivit en murmurant très bas :

Monseigneur,

Je croirais manquer à ce que je vous dois si je ne vous faisais part de l'affliction que m'a causée la nouvelle de la mort du roi d'Assinie, mon père. C'est monsieur le chevalier d'Amon, capitaine des vaisseaux du roi, qui m'en a informé et qui me marque en même temps, de la part des peuples d'Assinie, qu'ils m'attendent avec impatience pour me remettre la couronne, confiée en régence au vieillard Akassiny.

Il serait bien à désirer que Sa Majesté voulût faire un établissement dans mon pays comme on m'en avait flatté.

Je ne demanderais pour cela que cent hommes, quelques canons, de la poudre et des boulets. Cela m'aiderait à persuader les peuples de mon pays de la grandeur de Sa Majesté et permettre aux Français, seuls, d'y faire commerce, et travailler aux mines d'or qui y sont très abondantes.

Elle me donnera toute l'autorité dont j'ai besoin pour engager mes peuples à suivre mes vues, pour me rendre redoutable à mes voisins, et pour empêcher les autres nations de l'Europe de venir chez moi et, par conséquent, de troubler le commerce que les sujets de Sa Majesté y viendront faire.

Il avait beaucoup aimé écrire de sa main ce « venir chez moi ». Puis il avait écrit cette formule de politesse décidément brillante :

Je vous serai toute ma vie infiniment redevable d'un si bon office et cela me donnera lieu de porter la mémoire de vos bienfaits au milieu de l'Afrique et de m'y dire, plus majestueusement qu'ici, quoique avec un égal respect, Monseigneur, votre très humble et très obéissant serviteur,

Louis Anabia[1]

1. Cité *in* Paul Roussier, *op. cit.*, p. XXII.

Chapitre VIII

Il n'y a plus de Pyrénées

LE XVIIIe SIÈCLE AVAIT DEUX HEURES ET ANABIA SE PLAIGNAIT. LE TEMPS LE TOURMENTAIT. Sa lettre au roi avait visé juste. La conquête d'Assinie était programmée, mais aucun navire n'avait encore reçu l'ordre d'appareiller. Comme tout était long, long, trop long ! Marguerite, qui passait la nuit à ses côtés dans l'hôtel des Mousquetaires, le raillait sans ménagement :

— Nous sommes au nouveau siècle. Je croyais que tout allait changer. Regarde, il ne se passe rien !

Légèrement ivre, la jeune femme faisait planer sa petite tasse de vermeil doré, dispersant dans l'air des gouttelettes frémissantes de champagne.

— Je me souviens de notre première ivresse. Je te parlais alcool, tu répondais éléphant. Comme tu as changé.

— La mort de Zuma, probablement, répondit Anabia. Mais j'ai toujours le même appétit de toi. Je ne parviens pas à m'expliquer le désir toujours recommencé. Je ne parviens pas à m'expliquer le manque quand tu n'es pas là.

— Amoureux, hein ? gloussa Marguerite. Baisers, caresses, voltiges : jamais plus tu n'atteindras pareille félicité, mon ami. Pourquoi veux-tu partir, Anabia ?

— Je dois obéir à Sa Majesté, Marguerite, je dois libérer mon peuple écrasé, je dois défendre mes intérêts et ceux de la Compagnie de Guinée…

— Assez, tu répètes tout ça en boucle. Ton honneur, patati, patata. Et nous ?

— Je reviendrai un jour, tu le sais bien. Mais toi ? Pourquoi ne pas me suivre, pourquoi ne pas devenir reine d'Assinie ?

Lui déclarer son refus de le suivre au bout du monde était vain et idiot. Jamais elle ne partirait. Marguerite marmonna :

— La guerre, voilà la solution. Qu'elle allume de nouveau ses feux en Europe et le roi remisera aux calendes grecques la conquête d'Assinie. Un pays en guerre n'envoie pas sa flotte en Afrique. Il y a de nouveaux dangers à l'horizon, n'est-ce pas ?

Il y en avait. Des Pyrénées grondaient des nuages lourds. Les puissances européennes craignaient toutes la succession du trône d'Espagne occupé par Charles II. Le monarque n'avait pas d'enfant et, impuissant, aucune espérance d'en avoir.

Pour convaincre Marguerite, Anabia voulut expliquer combien, en effet, la conquête d'Assinie dépendait de la santé d'un monarque au visage verdâtre et édenté. Cet effort le fit déraper un peu :

— L'arrrchiduc d'Autriche, fils cadet de l'empereur Léopold Ier, prétend à la succession de Charles II. Sa seconde épouse, Marie-Anne de Neubourrrg, belle-sœur de Léopold, toute-puissante à la cour, a chassé les seigneurs et les ministres qui ne lui plaisaient pas. Les hidalgos castillans, gonflés d'orgueil, sont prêts à s'allier à l'adversaire de trois cents ans, la Frrrance, pour éviter un dénouement favorable aux Autrichiens.

Anabia s'exprimait comme les gazettes qu'il dévorait. Reine, infante, nains, enfants malades, l'évocation de la cour d'Espagne allumait dans la tête de Marguerite le souvenir des reproductions du peintre Velázquez. À son avis, le bras de fer ne pouvait que dégénérer en bataille. Elle assura :

— Dans tous les cas, l'accession au trône d'Espagne d'un prince étranger, qu'il soit autrichien ou même français, signifie la rupture de l'équilibre européen né du traité de Ryswick. La guerre est proche, Anabia.

— Mais les diplomates travaillent, Marguerite. Il y a un an, ils ont signé une entente dans les cabinets secrets. Tu sais, ce n'est pas une, mais vingt-trois couronnes qui recouvrent la tête de l'Espagnol à l'estomac pourri. L'empire de Charles Quint englobe trente millions de personnes réparties sur le globe.

— Et nous ? suggéra Marguerite.

— Suivant l'accord, la France va retrouver la Lorraine, le comté de Nice, la Savoie ou le Luxembourg, et sans doute le Pays basque espagnol et les

Deux-Siciles. On prétend que l'entente est un chef-d'œuvre en politique.

— Et *nous* ? répéta Marguerite en accentuant sur le « nous » pour mieux se faire entendre.

Anabia comprit. La leçon était achevée. Il se hâta d'accomplir le seul prodige qui avait un prix à ses yeux. Marguerite de Caylus, comtesse du royaume de France, et Louis Anabia, prince d'Afrique, fusionnèrent en croyant voir des roses abandonnées sur le sol. L'alliance d'une peau noire et d'une peau blanche échappait à la science des diplomates européens. C'était tant mieux. Les stratèges eussent été capables de trouver aux amants un pays d'accueil, eux qui se réclamaient du paradis !

En fin de matinée, Anabia éveilla Marguerite en l'embrassant partout. Son intention était de rejoindre Versailles afin d'attirer l'attention de Louis XIV. Traîner au lit l'avait mis en retard. Il reboutonna ses habits de mousquetaire en épiant le corps alangui de sa maîtresse. Attentifs à ne croiser personne dans les couloirs de l'hôtel des Mousquetaires, l'un et l'autre gagnèrent la cour, elle en carrosse, lui à cheval.

Au château, des dizaines de chariots remplis de débris de Marbre passaient la grille et s'éloignaient vers la ville. Les voitures croisaient d'autres charrettes bourrées de pierres de taille. Jules Hardouin-Mansart, surintendant des Bâtiments du Roi, usait de toute son énergie pour édifier la nouvelle chapelle royale, l'œuvre religieuse qui manquait au palais. Louis XIV avait en effet jugé que le Marbre, à peine posé, ne convenait pas et devait être remplacé par des pierres de taille.

À hauteur de la cour de Marbre, Anabia se mêla à des courtisans qui avaient été ses voisins dans le Grand Commun. Il s'attendait à devoir raconter, par le menu, sa vie trépidante de mousquetaire. Las, personne ne lui posa la moindre question. On le salua très poliment, on se réjouit de le savoir à Versailles, puis on reprit la conversation où elle avait été interrompue.

Les nouvelles ?

Racine était mort. Cette disparition datait, mais donnait encore lieu à d'innombrables commérages. Racine était indésirable à Versailles depuis qu'on l'avait fait passer pour un janséniste auprès du roi. Mortifié, rongé par le désespoir d'être banni, il avait dépéri jusqu'à la jaunisse.

Anabia ne parvenait pas à se faire une idée précise des jansénistes. Qui étaient-ils ? Une secte ? À Port-Royal-des-Champs, des directeurs, sans vouloir se tourner vers le protestantisme, espéraient depuis des décennies une spiritualité nouvelle, fondée sur un retour aux « pères de l'église », saint Augustin en tête. L'absolutisme royal voyait d'un mauvais œil cette espèce de confrérie occulte qui prônait le respect d'une morale pure, l'indépendance de la conscience et la sévérité intérieure. Marguerite se vantait d'amitiés dans ce cercle. Ce qui l'intéressait, ce n'étaient ni les débats sur la relation entre la liberté humaine et la grâce divine, ni la question de savoir si l'homme était capable de se sauver lui-même, encore moins les vertus d'une existence austère. Non, elle s'enflammait pour cette forme d'opposition à l'arbitraire royal que manifestait la doctrine !

S'opposer au Roi-Soleil ? Diable, Anabia comprenait le courroux de Sa Majesté.

L'esprit de Port-Royal, dépoussiéré, allégé de ses dogmes les plus austères, se faufilait dans des milieux ecclésiastiques divisés et débordés par les différentes sensibilités. Sa Majesté sonnait le tocsin. Peu importait à Anabia qu'il s'imposât ou non. Ces subtilités étaient bien trop compliquées pour lui. Il avait adhéré à la foi de Louis XIV. C'était bien ainsi.

Quittant les courtisans, il traversa les salons en constatant que la cour traînait les pieds. À Paris, les gens marchaient vite. Ils allaient quelque part, ils étaient pressés. Ici, les corps tournaient au ralenti. Les tenues ralentissaient les manœuvres. Mais il n'y avait pas que cela. Une langueur profonde s'abattait sur le palais.

Un murmure parcourut la foule. Le roi entrait dans ses jardins. Anabia se précipita à sa suite.

Louis XIV se promena une demi-heure et posa son auguste séant sur la terrasse qui donnait sur le canal. Devant lui, au loin, le Grand Dauphin, fils aîné de Louis XIV, dit Monseigneur, et madame la duchesse de Bourgogne prenaient séparément place dans deux gondoles. Tous les musiciens de Versailles jouaient sur une autre embarcation. Le roi fit apporter des sièges en haut de la balustrade où il demeurait. En retrait sur la terrasse, Anabia attendait que le sort lui fût favorable.

La bonne fortune se présenta sous les traits de madame de Maintenon, qui partait pour son établissement de jeunes filles, Saint-Cyr. Lèvres charnues, yeux de velours marron, nez fin, gorge encore belle et sourire mêlant retenue et assurance, elle offrait une beauté indiscutable.

Comme s'il avait été en extase, Anabia resta immobile pendant le passage de « Madame XIV ». Revenant de son assoupissement, il surprit son regard qui le dévisageait froidement. Ses yeux jetaient des éclats de diamants sur sa peau ébène. Comme on le lui avait appris, il soutint ce face-à-face un très court instant, puis inclina la tête en un geste respectueux qui marquait son attachement et, au-delà, signifiait qu'il se dévouerait à la dame de tout son cœur, si le sort le destinait à son service.

— Vous ? glapit-elle en marquant sa surprise. N'avez-vous pas embarqué pour l'Afrique ?

— J'attends, Madame, et je ne demande qu'à servir les intérêts de la France.

La « reine » reçut la réponse d'Anabia gravement. L'air sombre et vaguement triste d'une femme fatiguée des honneurs, elle tourna ses escarpins en direction du Roi-Soleil. Averti par sa bergère, Louis XIV pivota vers Anabia son nez d'aigle. D'un geste de la main, il invita le prince d'Assinie à s'asseoir à ses côtés. Ratatiné dans son fauteuil, le roi de France observa son « filleul » fixement pendant un instant. Gentiment, il lui tapota la cuisse :

— Alors, prince Anabia, il n'y a donc plus de différence entre vous et moi que du noir au blanc...[1] Par la mort de votre père, vous voici roi d'Assinie. Vos sujets doivent attendre votre couronnement.

— C'est leur souhait le plus vif, prétendit Anabia. Nous pouvons établir définitivement le comptoir projeté depuis tant d'années sur la Côte d'Or.

---

1. Rapporté par le liturgiste Châtelain *in* Paul Roussier, *op. cit.*, p. XXIII.

— On m'a fait connaître les avantages de cette position. Nos services parient sur le transport dans les colonies françaises d'Amérique de mille Nègres par an. Et de douze cents marcs d'or.

Anabia figea son plus beau sourire sur les traits de son visage. Louis XIV reprit :

— Filleul, vous êtes catholique. Au moins, avec vous, nous éviterons ce désastre de Siam. La conversion du roi de ce pays a suscité tant de difficultés que nous nous mordons encore les doigts de cette aventure.

— Mon peuple attend les Français. Il suffit, pour commencer, d'envoyer des ouvriers pour construire un fort. Et des soldats pour les protéger…

— Fort bien, fort bien, coupa Louis XIV qui, les idées perdues dans le ciel limpide, pensait déjà à autre chose.

Il plongea ses yeux fiévreux dans ceux d'Anabia. Sa curiosité, réveillée, lui donnait un air féroce. Il siffla entre ses dents :

— Croyez-vous aux fantômes, mon ami ?

— Les esprits, dans mon peuple, sont invoqués à chaque instant. Mais depuis que Sa Majesté a bien voulu m'instruire dans la religion catholique, je suis beaucoup plus prudent, répondit Anabia en se demandant si Louis XIV ne lui tendait pas un piège.

— Eh bien, écoutez. Il est arrivé à Versailles un compagnon de la petite ville de Salon, en Provence. Il voulait me voir en particulier. Il avait des choses secrètes à me dire… Voici son histoire : cet homme, revenant tard chez lui, se trouva investi d'une grande lumière, auprès d'un arbre. Une personne vêtue de blanc…

« La Dame blanche », murmura quelqu'un dans l'assemblée.

— C'était une femme, poursuivit le roi. Belle, blonde, revêtue d'un pardessus royal. Elle avait appelé notre compagnon par son nom, lui avait recommandé de bien l'écouter pendant une demi-heure. Principalement, elle prétendait qu'elle était la reine qui avait été l'épouse du roi, et elle lui ordonnait de venir me trouver.

Un frisson parcourut le groupe.

— L'apparition formula des secrets que je devais être le seul à entendre. Autrement, notre compagnon serait puni de mort. L'homme promit tout et, aussitôt, la reine disparut. Il se trouva dans l'obscurité auprès de son arbre, s'endormit là et se réveilla, convaincu qu'il avait rêvé. Deux jours plus tard, au même endroit, la reine lui apparut de nouveau. Elle se fit plus menaçante et lui ordonna d'aller voir l'intendant de la province, qui lui fournirait de quoi faire le voyage. Mais, flottant entre la crainte des menaces et les difficultés de ce périple, il ne sut que répondre et garda le silence huit jours…

Louis XIV, lassé par son monologue, s'adressa sans se retourner à la grappe béate fixée dans son dos.

— Qui veut continuer ? lança-t-il aux courtisans.

Un père de trois enfants eut l'audace de s'avancer. Anabia reconnut le duc de Saint-Simon. En ces temps de paix, il quittait régulièrement son château du Perche pour faire sa cour au roi. Malgré son jeune âge, à peine vingt-cinq ans, il était déjà remarqué et apprécié de Louis XIV. Brillant, il enchaîna parfaitement :

— À Aix, l'intendant de la province l'exhorta à se rendre à Versailles. Notre compagnon s'entretint trois fois avec monsieur de Pomponne, et chaque fois plus de deux heures. Alors Votre Grandeur voulut le voir. Il monta chez vous par le petit degré qui descend sur la cour de Marbre. Quelques jours après, vous le vîtes encore près d'une heure...

Louis XIV interrompit l'exposé du jeune duc par un rire sec. Puis fit signe à Saint-Simon de continuer.

— La cour fut très intriguée car, le lendemain de la première rencontre, alors que Votre Majesté descendait ce même escalier pour aller à la chasse, monsieur de Duras se mit devant vous à parler de ce compagnon avec mépris, et à prétendre que cet homme était un fou... ou que le roi n'était pas noble. À ces mots, Votre Glorieuse Splendeur répondit avec une gravité qui surprit l'assistance : « Si cela est, je ne suis pas noble, car je l'ai entretenu longtemps. Il m'a parlé de fort bon sens, et je vous assure qu'il est loin d'être fou. »

La représentation plaisait à Sa Majesté. L'assemblée s'amusait et vantait la formidable mémoire du jeune duc. Cependant, on se figea en moins d'une seconde. Louis XIV s'était raclé la gorge. Le toussotement solennel annonçait un changement de registre. Avec gravité, le roi répéta ce qu'il avait confié un soir d'appartement :

— Cet homme m'a raconté quelque chose qui m'est arrivé il y a plus de vingt ans. J'ai vu un fantôme dans la forêt de Saint-Germain. Oui, et je n'ai jamais douté de la réalité de cette apparition. J'étais le seul à connaître cette anecdote. La femme blanche l'a rappelée à notre compagnon de Salon.

Un cri parcourut la grappe. Versailles aimait les superstitions. Les fantômes occupaient une place de choix dans les récits. Ils avaient bonne réputation. Une petite voix flûtée, sortant de derrière le paravent de courtisans, lança sans précaution :

— Et que vous a dit la Dame blanche ?

Louis XIV sursauta.

— Qui ose ? rugit-il.

— Nous avons interrogé les ministres, poursuivit la voix anonyme. Le compagnon est originaire de la patrie du fameux Nostradamus. Est-ce un signe de grand malheur ?

— Allons, je ne veux plus parler là-dessus, reprit le roi sur un ton plus conciliant. Un monarque ne doit jamais quitter son travail pour son plaisir.

Avant que Sa Majesté se relevât – l'opération prenait un certain temps, la machine royale étant rouillée –, Anabia se jeta à ses pieds et lui baisa les genoux. Cela se pratiquait à Versailles. À Soco aussi, d'ailleurs. Ce faisant, Anabia repensa à la remarque de Louis XIV : « Il n'y a donc plus de différence entre vous et moi que du noir au blanc. »

Il rentra heureux à Paris, s'imaginant universel.

À Madrid, l'ambassadeur de France, le maréchal d'Harcourt, anéantissait les espoirs de Marie-Anne de Neubourg. Acoquiné à l'archevêque de Tolède et de quelques grands d'Espagne, le diplomate français avait fait admettre au roi mourant que la seule issue pour maintenir en l'état son empire était de léguer sa couronne à Philippe, duc d'Anjou, dix-sept ans, second fils du Grand Dauphin, dit Monseigneur.

Versailles était sur le point de remporter par la diplomatie ce que jamais les guerres n'avaient réussi à obtenir : la réunion des deux grands pays catholiques. Une force immense. C'était une apothéose pour Louis XIV, mais une partie serrée à jouer. Si la France acceptait ce testament du roi d'Espagne, elle rompait ses engagements. Avec une nouvelle guerre à la clef. À l'inverse, si, pacifique, Louis XIV le refusait, abandonnant le trône au prince de Bavière, il ménageait ses ennemis.

Anabia suivait attentivement. La conquête d'Assinie dépendait du dénouement de la crise. Au conseil, les ministres exprimèrent les points de vue les plus divers. Mais quand mourut la chose épuisée qu'on nommait Charles II, le roi convoqua le duc d'Anjou, son petit-fils, pour un long entretien. Les rêves pacifiques butaient sur le goût de la conquête. On ne pouvait être que pour le testament, passionnément pour.

Entouré des ministres et de l'ambassadeur d'Espagne, Louis XIV, solennel, fit ouvrir un matin les portes de son cabinet. Il apparut devant Marguerite dans la galerie des Glaces et s'adressa aux courtisans :

— Voilà le roi d'Espagne. La naissance l'appelait à cette couronne, Charles II par son testament. Toute la nation l'a souhaité. C'était l'ordre du Ciel. Je l'ai accordé avec plaisir.

L'immense salle fut recouverte par un pépiement d'oiseaux. Marguerite, agacée, songea que les courtisans honoraient bien leur rang de moineaux à la becquée. Louis XIV, gracile malgré sa goutte, pirouetta en direction du duc d'Anjou :

— Soyez bon Espagnol, c'est votre premier devoir. Mais souvenez-vous que vous êtes né Français pour entretenir l'amitié entre les deux nations.

Le roi, l'air satisfait, regagna son cabinet à petits pas. Au seuil de la pièce, l'ambassadeur d'Espagne se retourna vers la foule et s'exclama dans un français chantant :

— Quelle joie ! Il n'y a plus de Pyrénées !

Le Grand Dauphin tourna le dos à son père et consentit à sortir de sa torpeur naturelle pour lancer :

— Jamais homme ne s'est trouvé en état de dire comme moi : le roi mon père et le roi mon fils.

C'était bien trouvé. À l'habitude, le fils de Louis XIV consacrait toute son énergie à s'empiffrer et consolider sa graisse.

En ces journées historiques, Anabia prenait le parti de se rendre chaque jour à Versailles. L'ambiance était à la gloriole. La France, avec son armée forte de deux cent vingt mille hommes, sa flotte de guerre, ses revenus estimés à cent quatre-vingt-huit millions de livres, restait bien la première puissance européenne. L'Espagne à un Français. Cette blague ! Et pourquoi pas l'Assinie à un Banta ? riait le jeune Africain. « Mais Bourbon, je n'en ai pas le profil », plaisantait-il.

Tandis que la duchesse de Duras prétendait que « l'on dansait sur un volcan », Louis XIV dépensait beaucoup d'énergie à convaincre les ambassadeurs des pays voisins que les deux couronnes, celle de France et celle d'Espagne, demeuraient à jamais séparées. Qui croire ? Traînant sa bonne humeur, Anabia était prêt à toute éventualité. L'Assinie pouvait attendre. Mais si d'aventure l'affaire d'Espagne tournait mal, il avait la ferme intention de ne plus servir l'armée française contre une nouvelle coalition. Il était jeune. Décidé à rester vivant. Et pas fâché de rempiler auprès de Marguerite.

Dans un coin de son cerveau, bien au secret – plutôt se faire rôtir que d'exposer sa théorie –, Anabia avait une certitude. Le fantôme. L'apparition. Il était convaincu que la reine apparue au maréchal de Salon n'était autre que l'infante Marie-Thérèse d'Espagne. La mariée de Saint-Jean-de-Luz avait ordonné à son veuf de consolider les liens entre les deux pays. Voilà le secret que Louis XIV refusait de révéler. Il avait obéi à un fantôme !

Le duc d'Anjou, devenu Philippe V, quitta Versailles au bras de son grand-père, le Roi-Soleil. Le vieil homme sanglotait, le petit-fils était incommodé par toute cette humidité.

Entouré de gardes, de chevau-légers et de mousquetaires, le carrosse royal roula jusqu'à Sceaux. C'était la place choisie pour la séparation. De nombreux courtisans avaient fait le voyage depuis Paris et Versailles. Anabia, qui n'avait jamais été convié aux fêtes de la duchesse de Maine, petite-fille du Grand Condé, découvrait le château. Louis XIV s'avança dans la cour, dévisagea les uns et les autres (Anabia se demanda s'il le reconnaissait à travers ses paupières mouillées), puis, dans un geste de grand épanchement, baigné de larmes, enlaça son petit-fils. Après cette accolade le roi d'Espagne monta dans son carrosse sans se retourner. En route pour Chartres, où il couchait, il put alors s'essorer.

Avant son départ, le roi de France avait confié à l'adolescent des instructions qui résumaient, en trente-trois articles, ses résolutions pour bien gouverner l'Espagne. Anabia lut et relut ce manifeste. Il aurait juré qu'il avait été écrit pour lui. Après tout, n'était-il pas le filleul de Louis XIV ?

Le prince d'Assinie avait dévoré cette maxime tant et tant qu'il la récita par cœur à Marguerite. Le couple s'était discrètement retrouvé près de la grille des matelots. Nez au vent, torse bombé, Anabia déclama :

— Un. Ne manquez à aucun de vos devoirs, surtout envers Dieu. Deux. Conservez-vous dans la pureté de votre éducation.

Marguerite ne put réprimer un grand éclat de rire. Anabia la transperça du regard. D'un geste gauche, mimant la sotte, elle posa sa main droite sur ses lèvres pour signifier à son compagnon qu'elle allait se taire. Il continua :

— Six. Oui, c'est ainsi, j'ai oublié les instructions trois, quatre et cinq. Six, donc. Aimez votre femme, vivez bien avec elle, demandez-en une à Dieu qui vous convienne. Je ne crois pas que vous deviez prendre une Autrichienne.

Anabia nota le splendide silence de sa maîtresse. Il enchaîna :

— Sept. Aimez tous vos sujets attachés à vos couronnes et à votre personne. Ne préférez pas ceux qui vous flatteront le plus. Estimez ceux qui, pour le bien, hasarderont de vous déplaire. Ce sont là vos véritables amis. Huit. Faites le bonheur de vos sujets. Les instructions neuf, dix, et onze n'ont pas trop d'intérêt. Mais écoute celle-ci, Marguerite. Douze. Ne quittez jamais vos affaires pour votre plaisir.

— Là, je ne te fais pas confiance, glissa Marguerite.

— Tu as bien raison, écoute. Faites-vous une sorte de règle qui vous donne des temps de liberté et de divertissement. Instruction quinze. Quand vous aurez plus de connaissance, souvenez-vous que c'est à vous de décider, mais quelque expérience que vous ayez, écoutez toujours tous les avis et tous les raisonnements de votre conseil, avant que de faire cette décision.

Anabia interrogea du regard sa complice. Elle était maintenant muette. Il n'y avait rien à ajouter. Anabia apprenait sérieusement son métier de roi.

— Dix-huit. Traitez bien tout le monde. Ne dites jamais rien de fâcheux à personne. Mais distinguez les gens de qualité et de mérite. Vingt-neuf. Jetez quelque argent au peuple quand vous serez en Espagne, et surtout en rentrant à Madrid. Trente-trois. Je finis par un des plus importants avis que je puisse vous donner : ne vous laissez pas gouverner. Soyez le maître. N'ayez jamais de favori ni de Premier ministre. Écoutez, consultez votre conseil, mais décidez.

Marguerite le regarda un bon moment. Elle espéra fortement ces périls qui devaient s'abattre sur l'Europe. Mon Dieu, faites que les carrosses du nouveau roi d'Espagne foncent dans les murs en agitant leurs grelots. Anabia brisa le silence :

— J'aime bien cette idée de jeter quelque argent au peuple à mon arrivée en Assinie.

Marguerite chercha quelque chose, mais il fallait bien se rendre à l'évidence. On ne courait pas à la guerre. Le vieux monarque avait joué de main de maître. Pas un coup de feu n'avait été tiré en Espagne. Les *tories* en Angleterre pas plus que les républicains en Hollande n'étaient décidés à suivre

Léopold Ier dans sa volonté de faire payer à Louis XIV l'affront de la succession d'Espagne. Tout allait bien pour le moment. L'Assinie restait d'actualité. Tristement, elle lâcha en direction d'un Anabia médusé :

— Pauvre niais !

Chapitre IX

Mamé chiké, je suis ensorcelé

ANABIA SAVAIT RANGER LES VISAGES DANS LEUR PROVINCE D'ORIGINE. De Provence, du Sud-Ouest, de Normandie, les traits, avant même les accents, identifiaient le pays natal. Celui qui entrait dans sa chambre était assurément un Breton. Le teint pâle embelli de taches de rousseur, les joues rondes, les yeux plissés par la pluie, il bougeait son corps costaud avec une profonde humilité.

Godefroy Loyer débarquait de Rome. C'était un dominicain. Quelques jours plus tôt, Anabia avait reçu une lettre de lui et l'avait parcourue en tâchant de maîtriser ses mains tremblantes. Voici :

M'étant trouvé à Rome pour le grand Jubilé de 1700, la Sacrée Congrégation de Propagandâ, constituée par ordre exprès d'Innocent XII, me fit l'honneur de me nommer Préfet Apostolique des Missions de la Guinée en Afrique par décret. À Paris, où je cherchais les moyens d'exécuter les ordres de la Sacrée Congrégation, Dieu me favorisa dans mon dessein. Dans le temps que j'étais à Versailles pour solliciter un embarquement sur les vaisseaux de ces messieurs de la Compagnie de Guinée, j'ai appris par madame de Maintenon que vous formuliez les vœux les plus chers pour retrouver votre pays. Ma joie est de vous reconduire en Chrétien en votre capitale…[1]

Écoutant le révérend père se présenter, Anabia soupesait les mérites de cette rencontre. Jusqu'à Rome, les dominicains s'attribuaient l'honneur d'avoir reçu du roi Zuma un jeune prince éduqué dans la foi chrétienne. Les hommes d'Église adaptaient l'histoire à leur façon. Marchands et religieux se bousculaient aujourd'hui à sa porte. C'était amusant, et bougrement intéressant. Il se promit de jouer un jour avec cette rivalité naissante entre Versailles et Rome, entre la Compagnie de Guinée et les dominicains.

Anabia et Loyer conversaient tout en se dévisageant. Le dominicain exposa son plan :

— Prince d'Assinie, l'embarquement est proche. Je vais prendre congé de mes amis, dire adieu à ma famille à Rennes et, enfin, me tenir à votre disposition. L'expérience m'a enseigné qu'il n'est pas important de partir avec de nombreux religieux au début d'un établissement. Seul le révérend père Villard, de Paris, m'accompagnera. On m'enverra autant de missionnaires que nécessaire lorsque nous serons établis dans votre pays.

---

1. Godefroy Loyer, *Relation du voyage du royaume d'Issiny*, librairie Larose, Paris, 1935, p. 111.

Anabia comprenait. Éviter un débarquement de soutanes le rassurait. On pouvait s'en prendre à l'or, aux places militaires et, pourquoi pas, à la toute-puissance des Namos, mais gouverner les esprits était une question autrement plus délicate. Là encore, le désastre de Siam servait de leçon. Anabia, confiant de caractère, demanda :

— Mais nos affaires sont-elles à ce point avancées ? Je n'ai reçu aucun avertissement du chevalier d'Amon ou des gens de la Compagnie de Guinée...

— Par ordre du secrétaire d'État à la marine et à la maison du roi, Jérôme de Pontchartrain, le chevalier a reçu l'ordre d'armer le vaisseau *le Poli*, une frégate coutumière des mers chaudes.

— D'Amon est confirmé au poste de commandant ? glissa Anabia.

— Oui, et sa mission officielle est de reconduire dans ses États le prince d'Assinie.

— Il n'aurait pas pu me l'annoncer lui-même ?

— Il m'a dit qu'il était très occupé. Qu'il me chargeait de ce privilège. Et qu'il vous retrouvera pour l'embarquement à La Rochelle.

Les tremblements s'emparèrent de nouveau d'Anabia. Il remercia Godefroy Loyer et lui fit comprendre qu'il désirait se retrouver seul pour réfléchir. Les larmes aux yeux, il se figea à sa fenêtre. Voilà, c'était arrivé. Pour un long moment, Marguerite allait disparaître de sa vie. Il avait redouté cet instant et, en même temps, l'avait repoussé très loin de lui. Le temps qui passait avait favorisé une illusion d'éternité. Il s'était découvert d'un parfait aveuglement.

Les conventions n'avaient plus aucune importance. Il fila à Versailles et, au risque de croiser le dépravé monsieur de Caylus, se présenta à l'improviste dans les appartements de sa bien-aimée. Un valet l'introduisit dans le salon. Perdu, le cœur serré, il éclata en sanglots.

— Alors tu pars… Quand ? articula la jeune femme.

Anabia ravala ses pleurs. Il observa un moment Marguerite. Elle était calme, mystérieusement calme, comme si elle affrontait depuis un moment le deuil de leur rupture. Était-elle déjà au courant par son cousin ? Sans doute.

— Une semaine, un mois au plus, renifla Anabia. La mission a été officiellement définie par le roi : « Reconduire dans ses États le prince d'Assinie. »

— Reste ! ordonna-t-elle sèchement.

— Non, je ne peux pas, riposta Anabia.

Il se précipita à ses genoux. Il contenait un torrent de larmes, un déluge qu'il réprimait en happant, comme un chien, de grandes goulées d'air frais. Mais le chagrin était incontrôlable, le malheur souverain. Sa poitrine déborda. Jamais il n'avait pleuré comme ça. C'était la fin du monde.

— Je t'aime, je t'aime, cafouilla-t-il dans des intonations d'enfant.

Droite, vestale antique, Marguerite lui caressa les cheveux d'un geste maternel. Avait-elle déjà abandonné le royaume amoureux pour un odieux attendrissement ?

La crise faiblit en intensité, mais Anabia refusa de se lever. Il était diminué, dominé, foutu, bon à jeter. Dans sa morale, cette quinte humiliante signait l'épilogue de leur aventure amoureuse. Il s'était montré tellement faible, si émotif. Comment se relever de cette scène ? C'était fini entre eux.

Pourquoi n'arrivait-il pas à jouer Titus, le prince qui retenait ses pleurs ? Était-ce Bérénice qui sommeillait en lui ? « Dans un mois, dans un an, comment souffrirons-nous,/Seigneur, que tant de mers me séparent de vous ?/Que le jour recommence et que le jour finisse,/Sans que jamais Titus puisse voir Bérénice… » Il n'avait pas la grandeur d'âme d'un Titus, juste un cœur d'artichaut. Il était prince, et brûlait comme une servante.

Il se redressa au bout d'un long moment. Paisible. Vidé. Comme il ne pleurait jamais, il vérifia la justesse de l'adage populaire : « Pleurer fait du bien. » Adossé à la porte du salon, il s'apprêtait à fuir. Marguerite joua son va-tout. Les dents serrées, elle voulut le retenir définitivement à Paris. Le clouer sur son paillasson :

— Mes amis bien placés à la cour m'ont confié les motifs officieux de la campagne d'Assinie. Son sort est bien mêlé à celui de l'Espagne. Depuis la montée sur le trône de Philippe V, les commerçants de Saint-Malo, Nantes, Bordeaux prennent pied dans le commerce colonial hispanique. Jean-Baptiste Ducasse, depuis son poste de gouverneur de Saint-Domingue, a attribué le monopole de la traite des Noirs en Amérique espagnole, l'*asiento*, à la Compagnie de Guinée.

— L'*asiento* ? souffla Anabia

— Oui, la Compagnie de Guinée a pour premier objectif la traite des Noirs, martela Marguerite. L'or n'a plus aucune importance. Quant à la libération des Bantas, autant dire que c'est une plaisanterie !

— Comment peux-tu être si sûre de toi ? Tu mens, Marguerite…

— Voici les chiffres. Vérifie à ta guise. Avec les nouvelles colonies de l'empire espagnol, la Compagnie de Guinée a pour charge d'introduire quatre mille huit cents esclaves par an en Amérique. Les bailleurs de fonds sont les rois de France et d'Espagne, épaulés par les groupes financiers Crozat et Samuel Bernard.

Louis XIV avait parlé de « mille Nègres par an ». C'était quatre fois plus ! Anabia remua cette découverte dans son cerveau. L'or était accessoire, la chute des Namos un point de détail.

Il s'apprêtait à devenir chef des négriers !

Le plus tragique était qu'il ne pouvait rien faire. S'opposer à la volonté de Louis XIV ? Épatant. Une grande idée. Il finirait au côté de ce prisonnier au masque de fer planqué dans une tour de la Bastille. Dans les conversations parisiennes, il se disait que l'homme était convenablement nourri et soigné. Aurait-il ce privilège ?

Bien sûr que non.

Il n'avait pas d'autre choix que d'obéir au Roi-Soleil. Et prier pour revenir, vite, vite, se jeter aux pieds de Marguerite. En silence, il ouvrit la porte du salon. Un léger courant d'air transperça la maison. Il retrouva la rue avec la sensation de n'être plus qu'une feuille morte.

Marguerite cessa de lutter contre elle-même sitôt qu'Anabia eut disparu. Anéantie, elle plongea dans un torrent de larmes. Elle fut invisible pendant dix jours.

Sur permission de Louis XIV, Anabia communia dans la chapelle royale de Versailles. En grande tenue de mousquetaire, flanqué de Bossuet à sa droite, il reçut l'hostie des mains du cardinal de Noailles, archevêque de Paris.

En attendant la livraison du chef-d'œuvre promis par Mansart, il faisait sombre et froid dans la vieille bâtisse dédiée à saint Louis. Les pages les plus glorieuses du règne avaient été écrites ici et, pourtant, le monument était assez ordinaire. Construit à la hâte, blotti contre le corps central du château et la grotte de Thétis, il valait surtout pour sa tribune du premier étage ouvrant sur un salon placé dans l'exact prolongement de l'enfilade du Grand Appartement. Au cours des messes, la maison royale s'appuyait sur la balustrade couverte de tapis.

Placé devant l'autel, Anabia, front abattu, s'abîmait dans la contemplation des tapis. La représentation devant lui, une Déploration du Christ, était insupportable à ses yeux. La Vierge exhibait des deux bras son fils mort, étendu sur un linceul. Du regard, elle suppliait le Ciel. Sainte Marie-Madeleine, éplorée et les mains jointes, faisait face, au milieu du tableau, sur fond de paysage désertique.

Les sept minuscules fenêtres provoquaient un renversant sentiment d'écrasement. La musique lourde d'un organiste, arc-bouté sur ses deux clavier manuels et son pédalier, achevait de plomber l'atmosphère.

Au grand soulagement des fidèles, *Deo gratias*, grâces soient rendues à Dieu, la cérémonie prit fin quelques instants après avoir débuté. Anabia leva la tête sur une voûte laissée vierge. Bossuet, ombrageux, partit sans avoir prononcé un mot.

Dehors, un groupe se forma pour commenter l'affaire de la semaine. Une voix couvrait le brouhaha. C'était celle d'un courtisan célèbre à

Versailles, un homme fou à enfermer, mais divertissant. Il était capable de saillies et de reparties tellement osées qu'il conservait l'amitié de tous. Il gueulait :

— Le vieux duc, contre l'avis du roi, s'est remarié à une ambitieuse jeune fille de soixante ans sa cadette. Il a fait le gaillard au repas de noces. Il en a été bien puni. Et la jeune mariée encore plus. Au coucher, il s'est répandu partout dans le lit. Tellement qu'il a fallu passer une partie de la nuit à le torcher et à changer sa couche.

— On peut juger des suites de ce mariage, interrompit un autre…

Anabia s'éloigna du groupe, impatient de retrouver Paris et son anonymat. Pourquoi aimait-on autant la merde à Versailles ?

Il avait été le témoin de nombreuses railleries scatologiques. L'histoire la plus mémorable provenait de l'entourage de Madame, duchesse d'Orléans, première épouse du frère du roi. Monsieur était sur le point de mourir. À la cour, on repassait sa vie. Cet épisode, dont l'origine se perdait trente années plus tôt, avait été conté par Marguerite à Anabia.

Henriette d'Angleterre, reine des plaisirs, savourait chaque été comme s'il était le dernier. Elle aimait se baigner dans la Seine, rentrer à cheval accompagnée du roi et, surtout, prendre le frais, à la nuit tombée, entourée de beaux jeunes gens et de vingt-quatre violons. Autant d'occasions pour tirailler la jalousie de Monsieur, qui s'était imaginé qu'une lettre en possession de l'évêque de Valence, le protecteur de sa femme, renfermait les preuves de ses trahisons. Billets en main, l'évêque s'était caché dans une auberge aux environs de Paris. Découvert un matin par les gens de Monsieur, il s'était mis à crier à la colique, avait mimé de fortes contorsions et s'était mis sur un pot sans sortir de son lit. Le papier que Monsieur voulait récupérer était caché dans ses draps et, d'un geste discret, l'évêque l'avait placé au fond du vase.

Louis XIV, qui figurait en tête sur la liste des amants d'Henriette d'Angleterre, avait été le premier à plaisanter de cette aventure. Bien des années plus tard, Anabia trouvait cette fable obscène et s'étonnait que l'on pût rire de la plus grande intimité des hommes.

Versailles était un ventre en ébullition. Jamais l'image n'avait autant frappé Anabia. Comme tous les ambassadeurs étrangers et les nobles de province, il avait prêté l'oreille au fracas des musiciens, au gazouillis des fontaines, sans entendre les bruits les plus extravagants, les borborygmes des tubes digestifs.

Se soulager, et où le faire : voilà qui occupait les journées de la cour de Louis le Grand. L'expulsion de ses flatulences formait chaque jour un nuage invisible autour du château. On parlait des courants d'air dans la galerie des Glaces, mais les vents intestinaux accumulés, plus sournois, déplaçaient bien plus d'air que le défaut d'étanchéité des portes et des fenêtres. Ils étaient cela, les courtisans de Versailles : des vidangeurs.

Après la communion restait à préparer la cérémonie de Notre-Dame. Louis XIV prit toutes les dispositions pour remettre solennellement à Anabia ses insignes de chevalier. Il forma le vœu d'un ordre à l'imitation de celui du Saint-Esprit. Il était venu en France par la mer, il retournait en son pays par la mer, il voulait honorer la Sainte Vierge, étoile de la mer. Madame de Maintenon craignait une confusion avec l'ordre de Notre-Dame de l'Étoile, institué par le roi Jean II, dit le Bon. Elle se prononça pour un inversement assez commode. Anabia et ses successeurs pouvaient se prévaloir, à perpétuité, de l'ordre de l'Étoile de Notre-Dame. Elle laissait au révérend père Godefroy Loyer le soin de régler tous les détails. Pour figurer le commandement, il choisit un cordon blanc, une étoile d'argent avec, au milieu, une figure de la Vierge.

Un matin de février, Anabia quitta l'hôtel des mousquetaires dans un carrosse étincelant. Le fleuve était ce jour-là d'une belle couleur verte tirant sur l'émeraude. Le révérend père Godefroy Loyer, qui avait tenu à chercher Anabia en son logis, remarqua pour la première fois les yeux du prince d'Assinie. Si l'on prenait la peine de détailler l'iris, ils présentaient les nuances du fleuve. Un vieux monsieur, Jean-Baptiste Lagny, qui représentait la Compagnie de Guinée au titre d'intendant général, était lui aussi du voyage. Il ne lui vint pas à l'esprit de regarder le mousquetaire en face. Il aurait répondu « marron », si on lui avait demandé quelle était la couleur des yeux d'Anabia.

Le cardinal de Noailles, maître des lieux, accueillit le prince d'Assinie sur le parvis de la cathédrale. Une petite foule de curieux, protégée par un rang de soldats, se forma autour du cortège. Treize années jour pour jour après son départ d'Assinie, Anabia vivait son heure de gloire. C'était une coïncidence troublante, d'autant plus troublante qu'il végétait dans un état d'esprit comparable à celui qui l'agitait le jour de son exil. Devant le peuple d'Assinie qui l'escortait, il avait juré qu'il vivait le plus beau jour de sa vie. Pourtant, il n'avait plus senti ses jambes. Face à Notre-Dame, le menton dressé, il se sentait tout aussi faible... et cherchait partout Marguerite, la femme de sa vie.

Il comprit vite. Elle ne s'était pas déplacée.

Anabia ferma les yeux. Il les rouvrit sur un ciel d'une pureté incroyable. Les rayons du soleil, puissants, irradiaient les dorures des voitures jusqu'à rayonner sur les eaux de la Seine. La voûte céleste s'offrait tapissée de lapis-lazuli, cette pierre d'Orient dont raffolait Marguerite. Qui prétendait que le soleil était défaillant à Paris ? C'était vrai pour les étés, souvent gris et pluvieux. Mais c'était oublier les hivers, ces mois francs de gelées, magnifiques quand, brouillard levé, lune déjà en coin, la glace s'évanouissait au soleil.

Assisté de quelques évêques et accompagné du corps des chanoines, le cardinal de Noailles attaqua sa messe dans la chapelle de la Vierge. À genoux, Anabia murmurait pour lui-même :

« Je vous salue Marie pleine de grâce... Le Seigneur est avec vous... Vous êtes bénie entre toutes les femmes... Et Jésus le fruit de vos entrailles est béni... Sainte Marie mère de Dieu... Priez pour nous, pauvres pécheurs... »

Sa vie défilait dans la bouche du cardinal. Il n'aimait pas les mots qu'il entendait. Il tiquait spécialement à celui de « Nègre ». Que l'on désigne ainsi ses frères l'indifférait. Mais c'était le ton employé, ce dédain accompagné d'une morgue insupportable. N'avait-il pas été trop bon, pendant toutes ces années, dans le royaume de France ? N'aurait-il pas dû provoquer en duel tous les insolents ?

Il fut fait chevalier par le mouvement d'une épée. Des cheveux, le plat de la lame virevolta sur une épaule, puis sur l'autre. Godefroy Loyer s'avança pour lui remettre l'ordre de l'Étoile de Notre-Dame. Il observa avec émotion le cordon blanc et son étoile d'argent.

Le froid surprit l'assemblée alors qu'elle quittait la cathédrale. Un mendiant en regarda passer les membres l'un après l'autre, puis s'écria, énigmatique :

— Fantômes, fantômes !

On se dispersa sans effusion après la cérémonie. L'essentiel était à venir. Les imaginations s'éveillaient à la pensée du bal donné dans la soirée en l'honneur d'Anabia. Pris de vertige, il regagna son carrosse en chancelant. Affalé sur la banquette, il laissa remonter en lui les images de la cérémonie. Chevalier, ce n'était pas rien. Il était certain d'être le premier Africain honoré d'un titre pareil. Il chercha du côté des Siamois, des Turcs, des Marocains. Jamais un envoyé ou un ambassadeur n'avait, comme lui, livré bataille en France dans l'armée de Louis le Grand au rang d'officier.

L'orgueil était un sentiment qu'il ne connaissait pas. C'était un autre qui se logeait dans son esprit. L'impression d'avoir été à la hauteur, tout simplement, le remplissait de satisfaction. La fierté d'avoir mérité la confiance de ses amis l'enchantait. Folâtre, il se mit en chasse d'un compagnon d'arme pour s'amuser dans l'attente du bal. Il tua l'après-midi dans une partie de cartes. Apaisé, il retrouva sa chambre et lut devant les braises en attendant la nuit.

Les convives arrivèrent tous ensemble place des Victoires, devant l'hôtel retenu par Jean-Baptiste Lagny. Fuyant le désordre provoqué par leur carrosse, ils traversèrent la cour du bâtiment et se dirigèrent en colonne vers le vestibule gardé par des laquais en livrée. Escortés pendant qu'ils grimpaient un immense escalier, ils traversèrent ensuite un couloir couvert de tapisseries démodées. Au salon, Jean-Baptiste Lagny, les paupières mi-closes, accueillait son monde au nom de la Compagnie de Guinée.

L'homme d'affaires exécutait une courbette et, sans tarder, entraînait chacun vers le héros de la soirée. Les dents éclatantes, le chevalier Anabia s'inclinait dans des dizaines de révérences. D'excellente humeur, il pensait que les femmes étaient nettement plus élégantes que les hommes. Face aux défilés de dentelles et de portées de velours, il constatait que ces messieurs, malgré des vêtements de prix, étaient disgracieux. Les visages visqueux portaient les stigmates d'un nombre incalculable de crises de foie. Une grande laideur caractérisait la noblesse dans ses déplacements.

« Tout le monde est magnifique », répétait sans discontinuer une voix haut perchée. C'était faux, archifaux, mais cela n'empêcherait personne de se divertir. On démolirait après. L'annonce d'un branle annonça l'ouverture du bal.

Moins d'une heure plus tard, le futur duc d'Orléans, présentement duc de Chartres, fit son apparition. Cette visite, celle d'un voisin amateur de rencontres improvisées, déclencha une clameur enthousiaste. À la cour, Anabia avait souvent croisé ce jeune homme très en vue. Il se souvenait plus précisément du navrant mariage contracté avec la très laide mademoiselle de Blois, Françoise Marie, fille légitimée de Louis XIV. Confusément, il éprouvait de l'amitié et de la confiance pour le duc. Jamais il ne s'était permis de juger sa conduite, cette vie de plaisirs, de maîtresses et de parties fines. Sa maison, installée au Palais-Royal, était un éden où l'on s'affranchissait des étiquettes et des contraintes. Là, point de flatteurs ni d'hypocrites. Le cercle était forgé de savants étrangers et de musiciens. Le neveu de Louis XIV prisait même la magie. Quel dommage qu'il ne daignât se manifester qu'à quelques semaines du retour en Assinie !

Philippe dansa un moment et but beaucoup. Par l'intermédiaire d'un homme à la foisonnante chevelure rousse, il fit savoir à Anabia qu'il désirait s'entretenir avec lui. Le prince d'Assinie sentit le sang lui monter au visage. La surprise transforma le rythme paisible de son cœur en cavalcade débridée. Une hésitation le torturait. Il lui semblait que, un moment, le duc s'était cru le légitime héritier du trône d'Espagne. Qu'adviendrait-il si, d'aventure, il le questionnait sur cette affaire ?

Tandis que ses jambes le guidaient au salon où l'attendaient des intimes de la maison du Palais-Royal, il songea que c'était à lui, maître des cérémonies, de diriger la conversation sur les questions essentielles de l'honneur, la reconnaissance, la gloire. Son cœur bondit de son thorax lorsqu'il salua le royal neveu. Obligeant, Philippe II d'Orléans susurra :

— Vous avez du caractère, prince Anabia. Cela se voit sur votre visage. Une figure droite, et vraie.

— Jamais je n'avais espéré tant d'égards. C'est un grand honneur, j'en rougis, et j'ai bien peur de ne pas trouver les mots pour vous dire où je place votre grandeur.

Un petit rire féminin vint ponctuer la chute d'Anabia.

— Prenez garde aux jaloux, ce sont vos ennemis, reprit le duc en le fixant droit dans les yeux.

— Mais… Il me semble que je n'ai pas d'ennemis. À Versailles tout du moins, car en Assinie, une rude bataille m'attend.

— Prudence, prudence, mon cher, soyez prudent. Mais cessons nos louanges et venons-en à ma visite. Vous savez, je cherche à voir le diable. Sans avoir pu y parvenir… J'ai essuyé un nombre d'échecs incalculable. Sauf un…

Le duc de Chartres ne s'était pas invité pour la gaudriole. Quelque chose le tourmentait. Anabia était jugé apte à le soulager.

Mais qu'avaient-ils tous ? Après Louis XIV, son neveu voulait maintenant s'entretenir des mystères du monde surnaturel. L'Afrique et ses fétiches les enchantaient tous en entretenant l'illusion qu'au loin des hommes parvenaient à communiquer en toute simplicité avec l'au-delà.

— Racontez-moi vos expériences, mais je doute sincèrement pouvoir vous être utile, prévint Anabia.

— Je suis curieux des sciences et j'ai longtemps cherché à voir l'avenir. Je vais vous révéler une histoire extraordinaire. Elle s'est déroulée dans les appartements de ma tendre mademoiselle de Sery. Un homme, l'air fripon, prétendait faire voir dans un verre rempli d'eau tout ce qu'on voudrait savoir. Il réclama quelqu'un de jeune et d'innocent. Il y avait là une petite fille de neuf ans, protégée de ma maîtresse, qui était née dans ces lieux et n'en était jamais sortie. Le vilain m'interrogea. Je voulus savoir ce qui se passait dans un lieu éloigné. Je choisis, pour cette épreuve, la demeure de madame de Lancré, notre voisine à quatre pas de là. J'ordonnai à l'un des miens de s'y rendre, de bien examiner l'ameublement de la chambre, et la situation de tout ce qui s'y passait.

Le rouquin se figea. Les trois femmes admises dans le salon l'imitèrent.

— Je lui ordonnai de revenir sans perdre un moment et de me raconter à l'oreille. En un tour de main, la commission fut exécutée. Alors le magicien prononça quelque chose sur le verre rempli d'eau. Il demanda à la petite fille de regarder dans le verre et, et, et… aussitôt la gamine raconta mot pour mot tout ce que mon serviteur avait vu chez la voisine. La description des visages, des figures, des vêtements, des gens qui y étaient, les uns qui étaient dans la chambre, les autres gens qui jouaient à deux tables différentes. Ceux qui causaient assis, ou debout. En un mot, la gamine voyait tout, tout ! Qu'en pensez-vous, prince d'Afrique ?

— Le peuple d'Assinie établit l'autre monde au centre de la Terre. En attendant d'animer l'âme d'un nouveau corps dans le ventre d'une femme, nos défunts vivent là, bien au chaud. Nous les consultons tous les jours.

— Ah ! comme cela est judicieux. Mais ce n'est pas tout. Je ne vous ai conté la clairvoyance de la gamine que pour venir à l'essentiel.

— Comment ?

— Encouragé par le flair du magicien, j'ai voulu savoir quelque chose de plus important.

Le jeune duc froissa son visage et poursuivit :

— J'ai voulu voir ce qui se passerait à la mort du roi.

Anabia sursauta.

— J'ai donc demandé à la petite fille, qui n'avait jamais entendu parler de Versailles, de s'exécuter. Le nez dans l'eau, elle fit avec justesse la description de la chambre du roi. Elle dépeignit qui était debout auprès du lit ou dans la chambre. Elle reconnut un petit enfant, madame de Maintenon, Madame, madame la duchesse d'Orléans, madame la princesse de Conti, d'autres princes, domestiques, seigneurs et valets. Et votre serviteur. Je fus surpris qu'elle n'ait pas mentionné Monseigneur, le duc de Bourgogne, madame la duchesse de Bourgogne, monsieur le Prince et le duc de Berry. Je lui demandai si elle ne voyait pas leurs figures. Elle répondit constamment non et répéta le nom de ceux qu'elle voyait[1]. Cette curiosité achevée, je voulus savoir ce que je deviendrais.

— Un jeu dangereux, se permit Anabia, franchement intrigué.

— Alors ce ne fut pas dans le verre. L'homme – ah ! ce visage ! – proposa de me montrer mon avenir sur le mur du salon, pourvu que je n'aie pas peur de m'y voir.

---

1. Saint-Simon raconte cet épisode dans ses *Mémoires sur le règne de Louis XIV* et s'étonne, à juste titre, du jeu divinatoire. Les quatre susnommés étaient alors pleins de vie et de santé. Tous, en effet, allaient mourir avant le roi.

— Vous n'aviez pas peur, vraiment ?

— Non, mon ami, j'aime l'ombre. Après un quart d'heure de simagrées devant nous tous, mon corps apparut sous la forme d'une peinture sur le mur. Mais attendez. J'avais une couronne sur la tête ! Elle n'était ni de France, ni d'Espagne, ni d'Angleterre, ni impériale. Je l'ai regardée de toute mon attention, mais je n'ai pas pu deviner ce qu'elle représentait. Je n'en avais jamais vu de semblable. Elle n'avait que quatre cercles et rien au sommet.

Passé un moment de stupeur, Anabia lâcha :

— Dieu permet les tromperies du diable pour punir les curiosités qu'il défend. Attention, duc. J'ai, pour ma part, répudié mon fétiche.

— Vraiment ? interrogea Philippe II d'Orléans, visiblement étonné.

— Enfin, oui. Je ne le porte plus sur la poitrine. Il m'accompagne, mais…

— Vous l'avez ?

— …

— Allons, montrez-le-moi. Je ne vous le demande pas à genoux, mais ce serait un grand honneur pour moi. S'il vous plaît…

Mis en confiance, mais surtout éberlué par la supplique du duc, Anabia sortit la *bunga* d'une poche de sa veste. Il l'étrangla de la main droite en la présentant à son interlocuteur. Fasciné, tournant son visage autour de l'objet, Philippe II d'Orléans dévisagea longuement l'enfant au nez plat, à la bouche féroce et au visage strié par des griffes. Doucement, il interrogea Anabia :

— Mais faut-il recourir à une supplique pour que ce fétiche, comment dire, se mette à fonctionner ?

— Mon ami, j'ai embrassé la religion catholique. Il ne m'est plus d'aucun secours. En vérité, je n'y crois plus. Donc, il ne marche plus.

— Essayons tout de même. Ce serait amusant, n'est-ce pas ? Je peux le prendre entre mes mains ?

— Si tel est votre plaisir. Mais il faut réciter l'oraison.

— Allons-y, Anabia. Nul autre que moi ne devinera ce que je cherche à savoir. Votre fétiche a sans doute la réponse. Car j'y crois, moi.

Anabia s'exécuta. Le bal renvoyait sa part de clameur et de musique d'un côté, le salon plongeait dans une scène irréelle de l'autre.

Les deux hommes reprirent en canon une prière que nul, excepté Anabia, n'avait jamais prononcée à Paris :

— *Anguioumé mamé maro, mamé orie, mamé chiké occori, mamé mamé chiké occori, mamé mamé akaka, mamé brembi, mamé angouan aounsan...*

Si un orage avait arraché le toit de l'hôtel, l'homme roux, les femmes et les deux princes n'en auraient pas été surpris outre mesure. Mais en place du cataclysme, rien ne se produisit. Philippe se releva. À sa figure lumineuse, on devina qu'il était très heureux. Quelque chose s'était passé en lui. Il marmonna :

— J'ai si peu d'amis véritables. Je suis ravi d'en compter un de plus. Buvons, et que la fête commence.

À ce signal, un valet armé de plusieurs bouteilles se présenta. Rien d'occulte dans cette apparition : l'homme écoutait à la porte. Les cinq camarades burent beaucoup. Le roux se mit à réciter Molière et mimer Sganarelle :

— Qu'ils sont doux… Bouteilles jolies… Qu'ils sont doux… Vos petits glouglous…

Le duc disparaissait entre deux femmes et quatre coussins lorsqu'une main caressa les cheveux d'Anabia. La jeune femme, brune, était très blanche de teint.

— De quelle contrée venez-vous, gentil chevalier ? minauda-t-elle, gourmande.

Anabia remarqua ses cheveux lâchés qui tombaient sur ses hanches. Le visage était charmant. Un air mutin se promenait des lèvres jusqu'à la pointe du nez. Anabia sentit que cet air allait tenir ce qu'il promettait. La belle inconnue tourna son visage vers le sien. L'embrassant, il se promit d'en rester là : à des baisers vaillants et à quelques caresses.

Au même moment, le carrosse de Marguerite franchissait la place des Victoires en direction des réjouissances. Dans la matinée, elle avait failli se rendre à Notre-Dame. Elle avait renoncé, pensant qu'Anabia aurait davantage de plaisir à la voir au bal. En soirée, elle avait encore hésité. Elle s'était habillée, avait pleuré, déchiré un vêtement, puis s'était effondrée sur son lit. Vidée, les idées claires, elle avait compris qu'il fallait y aller et lui dire, tout bêtement : « Je t'aime. »

Grimpant les escaliers de l'hôtel particulier, elle renouait les fils du canevas qui l'avait menée à se jeter dans les bras de son amant. Les océans pouvaient bien les séparer, elle l'attendrait. Il reviendrait bien un jour, non ? Il était de deux continents. Il avait pratiquement autant vécu en France qu'en Afrique. Condamné au va-et-vient. Au rythme de sa déchéance, son mari allait bien mourir un jour. Elle pourrait vieillir avec son prince d'Afrique. Oui, vieillir, loin de Versailles, tous les deux, quel fabuleux destin !

C'était la première fois qu'elle osait se mettre en danger. Elle entra timidement dans le salon puis, franchement, dans la salle de bal. Elle s'attendait à repérer Anabia rapidement. Mais où était-il ? Son cœur battait si fort qu'elle se dit qu'elle était folle amoureuse, et qu'elle avait bien raison de suivre ses sentiments.

Marguerite conclut que son amoureux devait converser à l'écart du chahut, dans une pièce voisine. Déjà, elle se voyait avancer vers lui, quitter son manteau, le prendre par la main avec précaution et l'embrasser dans un recoin. Elle fouilla du regard une salle, puis une autre, avant de se retrouver devant cette porte défendue par un valet.

Dans la pièce, Anabia ne bavardait plus depuis longtemps. Elle mit une seconde à le comprendre après que le laquais, moyennant un mensonge, l'eut laissée passer.

Anabia s'était laissé déborder par les suçons de la jeune femme. Son froc gisait à plusieurs mètres de son dos, ce dos tout juste recouvert d'une chemise blanche. « Sa plus belle chemise blanche », remarqua benoîtement Marguerite. Sous les épaules fines de son amant gémissait une silhouette à moitié nue. Les deux corps bougeaient, prenaient du plaisir, surtout celui de la femme qui tremblait de plus en plus fort.

Immobile, glacée, Marguerite fixa la scène malgré la colère qui la submergeait.

Une douleur intolérable lui transperça la poitrine. Les fesses d'Anabia, qui ignorait sa présence, piaffaient de plus en plus vite. Elle entendit des rires. Puis les cris de la femme, dont la figure surgit de sous l'épaule d'Anabia.

Enfin, elle baissa les yeux vers le sol. Il fallait tourner le dos, se décider à partir. Qu'y avait-il devant elle ? Anabia qui la trompait. C'était tout ? Elle-même ne lui avait pas juré fidélité.

Ce n'était pas ça le plus grave. Il l'avait trahie. Et s'il avait menti ? Plantée là, avec tout son amour, Marguerite repensait aux coutumes si légères de Versailles. Son prince d'Afrique avait-il vraiment renoncé aux parties fines de sa jeunesse ?

Finalement, Anabia déclencha sa fuite. Et elle ne se retourna même pas quand elle entendit son prénom hurlé d'une voix désespérée.

Elle dévala les escaliers en pleurs. Elle s'engouffrait dans son carrosse quand, pieds nus, pantalon lâché et chemise au vent, Anabia apparut à sa suite. Elle claqua la porte de la voiture comme si elle tenait en main le glas qui frappe à la porte du malheur.

Dégrisé, Anabia vit disparaître l'arrière du carrosse. Il remonta dans la pièce pour s'habiller. Au passage, il constata que la jeune femme s'était jetée sur le roux. Incapable d'affronter le bal et de se montrer aimable, il décida de rentrer chez lui. Traversant un Paris plongé dans les ténèbres, il comprit tout d'un coup.

Le fétiche. Il lui avait joué un tour.

Il se jeta dans la prière :

— *Anguioumé mamé maro*, pourquoi m'as-tu trahi *? Mamé orie, mamé chiké occori,* je suis ensorcelé. *Mamé mamé chiké occori,* priez pour moi pauvre pécheur. *Mamé mamé akaka, mamé brembi,* *mamé angouan aounsan*, Marguerite est bénie entre toutes les femmes.

Les genoux repliés sur le ventre, il mit du temps à trouver le repos. Sitôt endormi, il fit un rêve étrange. C'était en Afrique. Marguerite, prisonnière d'un convoi d'esclaves, l'implorait pour qu'il la libère. Il réagissait trop tard et elle disparaissait dans les profondeurs de l'océan. Au réveil, il voulait croire aux sirènes.

Chapitre X

En chemin vers l'Afrique

IL SE TENAIT À LA TABLE D'UNE TAVERNE DES BORDS DE SEINE et ouvrait grands les yeux devant le *Mercure galant*. La revue revenait sur son sacre (la cérémonie de Notre-Dame valait pour lui un couronnement) et contait en détail sa conversion.

Quelque chose le frappait. Le *Mercure galant* rendait hommage à la ténacité dont il avait fait preuve durant toute son éducation, mais rien, rien du tout, n'était dit sur l'essentiel. À quelques semaines de son retour en Assinie, s'il se sentait africain de tout son cœur, il se voyait aussi comme un habitant du royaume de France. Il appartenait à deux civilisations, c'était évident.

Ce qui l'était moins, c'est qu'il avait choisi une langue. Un chemin, au moins, était sans retour. Celui du verbe. Il appartenait à la langue française. Cela s'était produit sans douleur et à son insu.

Étonnamment, il avait perdu l'envie de parler sa langue. Il comptait bien s'y remettre à son retour en Assinie. Mais sans joie. Il n'y consentirait que pour régler l'intendance. Godefroy Loyer s'occuperait du salut des âmes. À lui la glorieuse mission de propager les mots de Racine. Il avait aimé le tragédien, ils l'aimeraient.

Les yeux plissés à la lueur de la bougie, il relut, une fois encore, *sa* chronique :

« Louis Anabia a reçu l'ordre de l'Étoile de Notre-Dame des mains du cardinal de Noailles. Son royaume est situé sous la zone torride de la Côte d'Or qui baigne l'océan d'Afrique. Il est habité par des Noirs qui n'ont aucune marque de religion, mais plutôt quelques restes d'idolâtrie aussi superstitieuse que déplorable. Monsieur Ducasse, général des flibustiers, étant abordé il y a quinze ans à cette côte, y descendit pour saluer le roi du pays, qui fut charmé d'entendre de sa bouche les merveilles du règne de Sa Majesté Louis XIV, dont le bruit répandu par l'Univers avait pénétré ses climats brûlés. La gloire, étant l'objet principal des grandes âmes, fut le moyen dont la Providence se servit pour le salut de Louis Anabia. Le roi, son père, ne pouvant lui-même admirer tant de prodiges, voulut bien confier ce jeune prince à monsieur Ducasse pour l'approcher du plus parfait modèle de tous les rois. À peine Anabia fut-il présenté à Sa Majesté qu'elle donna ordre pour le faire instruire des mystères de notre religion. La grâce qui l'avait conduit heureusement en France opéra en même temps si efficacement qu'elle lui fit demander le baptême avec insistance. Baptiser un prince idolâtre convenait bien à celui dont les vives lumières ont percé la nuit des hérésies les plus délicates qu'il ait confondues avec tant de gloire. Monsieur l'évêque de Meaux baptisa ce prince nègre, à qui le roi donna le nom de Louis. La suite a fait voir avec quelle attention ce jeune prince s'est appliqué à se rendre digne de ce nom auguste. Ce fut une douce consolation pour le peuple d'Assinie, affligé de la mort de son roi, d'entendre les heureux commencements de celui qui devait succéder au trône, et qu'ils appellent avec le plus grand empressement[1]. »

À mesure qu'il lisait et relisait le texte, Anabia mesurait sa toute nouvelle influence. Le texte allait-il renforcer sa position vis-à-vis du chevalier d'Amon et de la Compagnie de Guinée ? N'était-ce pas la marque du grand monde que d'apparaître dans les bulletins ?

Repoussant au loin le visage de Marguerite qui l'assaillait, il paya et courut honorer la promesse qu'il avait faite au peintre Justina.

C'était une idée de Godefroy Loyer. Pourquoi, avant son départ, ne pas offrir au chanoine de Notre-Dame un témoignage de sa reconnaissance ? Anabia avait retenu une esquisse qui le présentait à genoux devant la Vierge. Louis XIV et Bossuet l'entouraient. Dans les nuées, Marie portait le petit Jésus, qui tenait à la main le cordon blanc, symbole de l'ordre de l'Étoile de Notre-Dame.

Dans l'atelier, l'assistant du maître recommanda à Anabia d'être souriant et sûr de lui-même. Un tailleur, visiblement pressé, sortit d'une malle une soutane blanche, une cuirasse à l'antique et des souliers tressés. Bon, voilà qu'on voulait le figurer sous les traits d'un guerrier romain triomphant.

1. *Mercure galant*, 1701 ; *Bull. de la Soc. d'Histoire de Paris*, 1910.

Quelqu'un se présenta pour le poudrer, un autre pour le coiffer, puis un vieillard, encore un, le salua sans prendre la peine de le regarder.

Perruqué, vêtu d'un riche tissu à trame de soie et chaîne de fil, l'ancêtre s'installa devant Anabia. C'était Justina. Anabia l'interrogea doucement. L'exercice serait-il long ?

Justina ne souhaitait pas donner d'explications et demanda à Anabia de poser la main droite sur une table. Il devait aussi relever la tête, fixer les yeux au ciel, et se tenir debout comme un capitaine.

Le peintre le contempla quelques minutes. Il ne se souvenait même plus de son esquisse. Qu'importe, il comptait sur son seul génie. Qui se manifesta très vite dans le souvenir d'une toile réalisée deux années plus tôt. La répétition était chose fréquente chez lui. Il n'en concevait aucune gêne.

Il prit en main son croquis, crayonna un peu et fit un signe au jeune disciple qui se tenait en retrait. D'une voix martiale, il insista sur les nuances à respecter pour un tel tableau, recommanda de suivre l'exemple des grands peintres de la Renaissance et de souligner la grâce et l'élégance du sujet. Mais surtout, surtout, il fallait s'éloigner de Le Brun, ce médiocre.

À la grande surprise d'Anabia, le peintre sautilla sur lui-même. Un coup à gauche, un coup à droite, ses mouvements firent grincer le parquet. Ce rite achevé, il quitta la pièce à vive allure. L'apprenti expliqua à Anabia que son maître s'échappait dans une pièce voisine où l'attendaient, pour une autre représentation, une jolie veuve et ses deux enfants. Anabia devait se contenter d'une doublure.

L'exercice prit quelques jours. Face à l'assistant qui s'appliquait en silence, Anabia se refermait sur lui-même. La conquête d'Assinie occupait tout son esprit. Une vingtaine d'hommes, principalement des gardes-marine appuyés par une infanterie légère, avaient pour mission de recourir à la force si, par malheur, les Français n'étaient pas accueillis en sauveurs. Bien que sa qualité d'officier pût lui réserver le commandement, bien que ce fût son pouvoir qu'il s'agissait d'affirmer sur le trône d'Assinie, la Compagnie de Guinée lui avait refusé la tête de la petite armée levée pour l'aventure.

Jour après jour, ses illusions s'envolaient. Les soldats étaient placés sous l'autorité d'un marin nommé par le roi, monsieur du Mesnil de Champigny, lui-même sous la toute-puissance du chevalier d'Amon, commandant du *Poli*. L'entreprise était si avancée qu'un chirurgien, le sieur Vérité, avait déjà été engagé, ainsi que des forgerons, des tailleurs de pierres, des maçons, des charpentiers et des bûcherons, tous affectés à la construction du fort. Dans son ensemble, l'équipage était composé de cinquante hommes.

Anabia, visage figé devant le peintre, estimait que ces créatures lui seraient au mieux indifférentes, au pire hostiles. Pas d'amis sur *le Poli*, mis à part Godefroy Loyer – et encore, rien n'était certain.

Son véritable allié se trouvait à Versailles en la personne de Louis XIV. Chaque fois qu'il avait croisé le Roi-Soleil, il avait vu un moment de trouble dans les yeux du monarque. Était-ce sa manière si particulière de dire « mon filleul » ? À force, Anabia était convaincu que sa jeune personne avait définitivement séduit le monarque et sa femme. Ici, les canines du chevalier d'Amon ne pouvaient mordre. La conquête d'Assinie n'était pas qu'une question politique. Anabia pensait qu'il y avait de l'affection dans cette affaire.

Poussé par ce raisonnement, il voulut rédiger lui-même le texte de l'inscription qui figurerait en bas du tableau achevé par Justina. L'exercice fut réalisé avec un brin de fourberie. Ses ancêtres n'auraient pas apprécié qu'il répudiât aussi ouvertement ses idoles. Le fétiche n'avait-il pas déjà tenté une vengeance après le jeu avec Philippe d'Orléans ? À moitié rassuré, il écrivit :

« À la gloire de Dieu, Louis Anabia, roi d'Assinie de la Côte d'Or en Afrique, en reconnaissance de la grâce que Dieu lui a faite de le retirer de l'aveuglement où ses prédécesseurs et leurs peuples ont vécu jusqu'à présent et des bontés de Louis le Grand, qui l'a fait élever en France à ses dépens dans le culte de la vraie religion et dans la pratique des plus nobles exercices. Et aussi des obligations qu'il a à monsieur l'évêque de Meaux pour lui avoir donné le baptême. Avant que de retourner prendre possession de ses États où il va, par les soins de notre pieux et généreux monarque, à dessein d'y planter la foi et, pour ce sujet s'étant mis sous la protection de la Très Sainte Vierge à l'honneur de laquelle il a institué l'ordre de l'Étoile Notre-Dame pour lui et ses successeurs à perpétuité et donné ce tableau pour monument de sa piété l'an de grâce 1701[1]. »

Le ciel s'obstinait à rester gris depuis des semaines. Dans la rue, Anabia sentait la pluie sur son visage et sur ses mains comme jamais. Le froid et l'humidité hérissaient chacun de ses poils. Son cœur

1. *Mercure galant*, *op. cit.*

battait du seul désir de partir le plus vite possible. Il n'avait rien d'autre à faire que d'errer dans Paris et ses lèvres tremblantes ne formulaient qu'une demande : « Où es-tu, Marguerite ? » L'appareillage était proche, répétait la Compagnie de Guinée.

À La Rochelle, d'Amon était très heureux de sa dernière trouvaille. Suivant les recommandations de Louis XIV, il s'était occupé lui-même des cadeaux destinés au roi d'Assinie. Loyal, il eût composé ces offrandes en songeant à Anabia. Mais Sa Majesté n'avait pas précisé à quel monarque, précisément, elle songeait. Aux commandes du *Poli*, fort de cinquante hommes, d'Amon mesurait sa toute nouvelle puissance. L'Assinie était à ses pieds.

Dans la malle affectée aux cadeaux, il mit sous clé un trousseau de jeunes mariés. Qu'on apprécie : une médaille d'or à l'effigie de Louis XIV, douze cuillers, douze fourchettes, douze couteaux d'argent, un bassin, une aiguière, un sucrier, deux salières, quatre flambeaux, un fauteuil et douze chaises pliantes, deux douzaines d'assiettes d'étain, quatre bassins et quatre plats d'étain, quatre chaudrons, quatre marmites, quatre tourtières, six casseroles, deux poêles, deux poissonnières, deux broches, une paire de chenets, six nappes et six douzaines de serviettes brodées. Quatre barils de farine lui avaient paru utiles, ainsi que deux barriques de vin et deux quarts d'eau-de-vie.

Le choix des offrandes marquait la fin des préparatifs. Les hommes, qu'ils fussent artisans ou soldats, piaffaient sur les quais de La Rochelle. Les cales, supervisées par le commis Étienne Tibierge, débordaient de matériaux de construction, de vivres et d'alcool. À l'appel ne manquait plus que le prince d'Assinie. L'ordre du départ, par chaise de poste, fila vers Paris.

Anabia reçut la nouvelle au petit matin. Le soleil, Dieu merci, s'était réconcilié avec les Parisiens. La chaleur retrouvée avait mis le jeune homme d'excellente humeur. Pour un peu, il se serait précipité chez Marguerite et, tel Roméo, aurait donné un récital dans sa cour. Sa vitalité le quitta en moins de temps qu'il n'en fallait au futur duc d'Orléans pour déshabiller les jolies filles. Dans son style grossier, le chevalier d'Amon l'avertissait qu'il devait au plus vite prendre la route de La Rochelle. Versailles lui enverrait un carrosse vers midi.

Ses malles étaient prêtes. Dès lors ne se posait plus qu'une question : comment occuper ses dernières heures à Paris ? Il y avait à la fois de grandes choses à faire, et rien à entreprendre. Il pouvait tout aussi bien se ruer dans les quartiers de sa jeunesse, pleurer dans les Tuileries, embrasser ses premiers logeurs, Barbier et sa femme, saluer l'ami aubergiste, retrouver ses mousquetaires… ou rester prostré des heures, dans sa chambre, à réfléchir au temps qui passait, tout doucement.

Écrire à Marguerite était une initiative déchirante. Il s'en sentait incapable. C'était un courrier d'adieu qu'il lui fallait rédiger. Tout était fini entre eux. *Dead*, aurait dit d'Amon en ouvrant les lèvres comme un canard, si fier qu'il était de bredouiller quelques mots d'anglais. Sa conduite dans les bras d'une maîtresse du duc n'avait fait que rendre inéluctable l'inéluctable. Gémir des mots de rupture eût été ridicule. Cette certitude s'imposa à l'instant même où il prit conscience qu'un salut, sans réserve celui-là, lui était commandé. Il calcula qu'il lui restait assez de temps pour filer à Versailles se recueillir devant les eaux du Grand Canal, là où il avait jeté le fœtus.

Il lui fallut un moment pour retrouver l'endroit exact du singulier tombeau. Sur les bords du bassin, du lierre était entrelacé aux plantes sauvages. La nuit précédente, le vent avait projeté les corolles d'un rosier voisin. Un véritable tapis de pétales jaunes et rouges recouvrait la pierre. « C'est bien, se dit-il, la nature berce chaudement son corps. »

Il se recueillit un long moment et repensa à cette panique qui l'avait pris devant les gardes du palais. Soudain persuadé que sa conquête du trône d'Assinie était des plus périlleuses, il se maudit de n'avoir pas écouté Marguerite. Il avait pris ces recommandations pour les paroles venimeuses d'une femme délaissée. Il s'était trompé. Les eaux tranquilles du Grand Canal lui indiquaient que la vie était belle à Versailles. Mais il était trop tard.

Il quitta le cimetière sans se retourner. L'âme de son fœtus animait maintenant l'esprit d'un enfant, quelque part sur la Terre. Mais où, grand Dieu ?

Ses malles étaient chargées dans le carrosse quand son cheval s'arrêta au pied de l'hôtel des mousquetaires. Informé, il résolut de ne pas monter dans sa chambre et de s'éviter, ainsi, l'épreuve d'interminables au revoir.

Installé à l'intérieur de la nacelle, il tira les rideaux jusqu'aux vignobles d'Ivry. La campagne, au contraire de Paris qui ranimait des souvenirs, lui offrait du réconfort. Il passa des heures à regarder les routes, les villages, les visages, comme s'il s'agissait de la dernière fois. Puis il s'endormit d'un sommeil de mort.

La France allait un peu mieux. Le panorama d'une province occupée aux champs le certifiait. On en était encore à se réjouir du coup magistral réalisé par Louis XIV : un prince français sur le trône d'Espagne, quel coup d'éclat !

Cependant, Louis le Grand avait déjà fait deux erreurs. Pour rassurer tout à fait ses ennemis, il aurait dû ne pas réaffirmer les droits du nouveau roi d'Espagne au trône de France, comme il l'avait fait pas une lettre patente registrée au Parlement. À sa mort, les deux pays risquaient de ne plus faire qu'un. La seconde faute était d'ordre militaire. Un préavis de trois mois avait été accordé aux Hollandais pour qu'ils évacuent les garnisons des frontières du nord de la France. Incapable de ronger son frein, et au prétexte qu'il craignait une proclamation d'indépendance, il avait envoyé des compagnies prendre possession de ces places « à titre provisoire »... Ces deux bévues faisaient le lit d'un Guillaume va-t-en-guerre. Sous son influence, le roi d'Angleterre était intervenu auprès de la chambre des Communes pour qu'elle ordonne un nouveau programme militaire. Il avait fait voter l'*act of Settlement*, qui réglait sa succession dans la lignée protestante, l'établissant du côté de l'épouse du roi du Danemark, puis de Sophie de Hanovre, en un jeu de chaises familial un peu compliqué.

À l'évidence, un nouveau front se formait autour des Provinces-Unies. Il n'y avait que Versailles pour ne pas s'en rendre compte. À la grande joie des aventuriers de la campagne d'Assinie, qui accueillirent Anabia en grande pompe à sa descente de carrosse.

La nuit était tombée sur le port de La Rochelle. Monsieur du Mesnil de Champigny, escorté de ses soldats, quitta précipitamment *le Poli* pour être le premier à ouvrir la porte du carrosse. Chacun de ses hommes tenait en main une torche. Leur reflet se perdait à l'infini sur les pavés luisants des pluies de l'après-midi. C'était superbe.

— Prince… euh, roi d'Assinie, flatta du Mesnil de Champigny, je suis charmé de vous accueillir au pied du navire qui vous ramène dans votre pays. Je me porte garant de votre sécurité.

Anabia apparut sur les marches, sourit et demanda :

— C'est vous, le commandant militaire de notre expédition ?

— Oui. Sa Majesté m'a fait l'honneur de me confier cette mission. Je tiens à vous rassurer tout de suite : nous travaillerons de concert en Assinie.

« Bien, bien », songea Anabia dont les escarpins pataugeaient dans les flaques. La vision du *Poli* fouetta son moral. Après tout, du Mesnil de Champigny, malgré son patronyme interminable, n'avait pas l'air mauvais homme. Commander vingt soldats était une chose fastidieuse. Déchargé de cette responsabilité, il pourrait lire pendant la traversée.

Il suivit les flambeaux, des vers luisants, et grimpa sur le pont. Étonnamment, le chevalier d'Amon, lui aussi, se montra exquis.

Le Poli mit les voiles cap nord-ouest afin de rejoindre *l'Impudent* et *la Hollande*, deux vaisseaux de la Compagnie de Saint-Domingue basés à Port-Louis. C'était un signe de prudence, et un aveu de la relative fiabilité des calculs de Versailles. La route pouvait être dangereuse. Les deux vaisseaux, d'environ cent cinquante homme d'équipage chacun, disposaient de quarante pièces de canon au total. Ils avaient pour mission une traite d'esclaves sur la côte africaine avant de faire route vers les Amériques.

Le Poli louvoya quelques heures face à la forteresse de Belle-Île, puis mouilla devant l'île de Groix. Port-Louis était distant de deux lieues. On attendrait ici les deux autres navires pour former l'escadre. Ce fut une interminable pause de cinq jours.

Le dernier après-midi avant le départ, définitif celui-là, Anabia descendit à terre avec le révérend père Godefroy Loyer. Comme ils visitaient les ruines des douze chapelles brûlées par les Anglais pendant la guerre, l'homme d'Église témoigna du caractère des îliens. Ils tenaient de la brebis pour leur âme pieuse et du bouc pour leurs nerfs belliqueux. Attaquées par l'ennemi alors que les hommes de l'île, tous marins, pêchaient en mer, les femmes de Groix avaient pris les habits de leurs maris et, en cet état, le pasteur à leur tête, avaient affronté leurs assaillants. Rageuses, les îliennes avaient vaincu sans déplorer la moindre blessure dans leurs rangs.

Anabia lut les visages qu'il croisa sur l'île. Les peaux étaient ridées, burinées par la pluie, le souffle de l'océan et le soleil. Les regards étaient habités d'une incroyable détermination. C'était la mer, sans aucun doute, qui forgeait cette volonté.

Plus que sur les habitants, Anabia s'attarda longuement sur les paysages de Groix. Quel endroit sauvage ! Il n'avait rien ressenti de pareil depuis ses escapades d'enfant dans les profondeurs de la lagune. Là-bas, sous ses pieds, le sol était léger, de dune et de sable. Ici, la terre dure de granit était figée par les pluies. La bruyère et les landes de genêts incendiaient les sentiers côtiers bleuis par les vents. Le varech exhalait en une odeur iodée qu'il ne connaissait pas. Partout, des croix de pierre exprimaient la douleur. C'était d'une beauté à couper le souffle et, en même temps, terriblement angoissant.

Au sommet d'une petite falaise, Godefroy Loyer, le Breton, s'agenouilla face aux vagues. Le feu aux joues, il composa une prière pour les morts de son pays. Jamais Anabia n'avait vu un homme aimer à ce point sa terre. Chaque trait de son visage disait cet attachement. Cœur au vent, Loyer était en transe. À voix haute, maintenant, il priait pour ses morts ensevelis sous la terre. Sa plainte, qui courait dans le ciel gris, était vraiment lugubre.

— Et les vivants, s'il vous plaît, murmura Anabia.

L'abbé, magnétisé, n'entendait rien. La mort chantait victoire.

Dans le vent – quel vent ! jamais Anabia n'avait senti un tel souffle –, il vit la mer qui dansait. Un long moment s'écoula. La vie réapparut sous la forme d'un oiseau, un goéland, qui planait au-dessus d'eux. Le ciel gris ardoise laissa la place à un peu de clarté, puis, après une pluie d'orage, à un soleil aveuglant. Anabia sentit une force inconnue s'emparer de ses bras tendus vers le ciel. Il eut l'impression d'avoir en main un de ces cerfs-volants qui voltigeaient de temps à autre à Versailles, bien qu'il n'y eût aucun fil pour le relier à l'oiseau.

Le goéland suivait le mouvement de ses bras. Il le regardait comme s'ils étaient amis. C'était incroyable. D'autant plus incroyable qu'il reconnaissait dans l'oiseau la figure du roi Zuma. Un tremblement le parcourut des pieds à la tête. Quand Godefroy Loyer se releva, le goéland disparut dans une vague.

Le lendemain, *le Poli* quitta Groix par une mer calme et un temps agréable. Vent en poupe, il fila plusieurs jours sur les flots avec finesse. Sur une mer argent, il glissait en se berçant de l'illusion qu'il irait ainsi jusqu'à l'Afrique. C'était sans compter avec les vents, qui s'inversèrent de l'est sud-est à l'est nord-est.

En pleine nuit, le chevalier d'Amon ordonna d'affaler toutes les voiles et de laisser le navire naviguer à mâts et à cordes. En travers du cap de Finistère, la mer était si grosse et agitée que, vers deux heures du matin, *le Poli* fit eau de toute part.

Anabia dormait dans sa cabine. Décidément, son existence obéissait aux anniversaires. La tempête faisait rage la dernière fois qu'il avait traversé les environs du golfe de Gascogne. C'était sur *le Saint-Louis*, treize années plus tôt. Le chiffre devait porter chance. Il se promit de ne pas vomir.

Des gouttes d'eau sur le visage, il se leva sans paniquer. Il entendit les matelots qui, sur le pont, s'employaient à la manœuvre. Les cris étaient si forts qu'il s'habilla, décidé à jeter un coup d'œil. Sur le pont, il comprit. La mer était partout. L'équipage craignait une brèche dans le vaisseau.

Les portes et les fenêtres d'une pièce qu'on appelait la chambre du conseil étaient entièrement détruites. Les deux hommes qui dormaient à l'intérieur avaient été emportés jusqu'au mât placé sous le gaillard d'avant. C'était un miracle qu'ils fussent encore en vie. Parvenu non sans mal dans les logements communs, Anabia vit Godefroy Loyer qui priait. Il s'approcha et fut incroyablement surpris de l'entendre dire :

— Regardez l'inquiétude dans laquelle se trouvent les hommes les plus habitués à la mer. C'est dans ce lieu que Dieu veut que nous terminions le sacrifice que nous avons commencé en Lui dédiant nos vies. Il nous faut attendre Sa sainte volonté avec une grande résignation.

— Vraiment ? s'époumona Anabia qui comprenait enfin que le coup de chien vécu des années plus tôt n'était en rien en comparaison de cette tempête. Mais regardez nos officiers qui s'agitent, poursuivit-il. D'Amon est expert dans les manœuvres. Il va se battre comme un chien, et tenir bon la barre.

— Qu'Il vous entende. De toute façon, les dés sont jetés, lâcha le Breton avant de se murer dans le silence.

La bataille contre l'océan s'éternisa jusqu'à l'aube. Le chevalier d'Amon arpenta la poupe avec une énergie furieuse. Jamais battu, il donna des ordres précis. Il anticipa admirablement les caprices de la mer. Par moments, il prit lui-même la barre. Quand tout fut fini, on le célébra comme un héros.

Sur le pont supérieur, les soldats de Mesnil de Champigny voulurent le porter en triomphe. Deux colosses l'empoignèrent hardiment et, maladroits, commirent l'irréparable. La perruque du chevalier, bien qu'ayant résisté à la tempête, se déroba sous les mains des soldats. De la tête du chevalier, elle partit en vol plané sur le sol gorgé d'humidité. Sans sa perruque, le visage de d'Amon ressemblait à une tête de serpent. S'il avait tiré la langue, il aurait craché du venin. La vision du crâne chauve provoqua des ricanements parmi les matelots. « Qu'ils sont sots, rageait-il intérieurement. Ils s'imaginent que je les ai sauvés. Mais c'est pour ma peau que j'ai bataillé comme un dément. L'honneur des commandants, tu parles ! L'envie de ne pas crever, oui ! » Yeux noirs, démarche reptilienne, il regagna sa cabine.

Les marins pansèrent les plaies du navire pendant toute la journée. *Le Poli* avait bien résisté. Une autre embarcation de l'escadre, *l'Impudent*, n'avait pas eu ce privilège en frôlant le naufrage dans la nuit dantesque. Grand mât cassé, le navire n'avait dû son salut qu'à la clairvoyance de son capitaine. En pleine tourmente, il avait jeté une partie de sa charge à la mer comprenant un lourd contingent des matériaux prévus pour la construction du fort d'Assinie. Les matelots à bout de forces avaient abandonné la manœuvre pour implorer la miséricorde du Seigneur. L'enseigne du vaisseau, un dénommé Gazon, avait fait le vœu d'aller en chemise, corde au cou, du port de la première terre qu'il aborderait jusqu'à l'église la plus proche pour rendre grâces à Dieu de l'avoir délivré d'un si grand péril.

De retour dans sa cabine, Anabia posa les yeux sur un livre qui s'était échappé de ses malles à la faveur de la tempête. C'était un conte de Cyrano de Bergerac paru des décennies plus tôt sous un titre énigmatique : *Les États et empires de la lune.* L'ouvrage, ouvert en son milieu, invitait à la lecture. Bien qu'il fût fatigué, Anabia prit le livre entre ses mains. Émerveillé, il ne releva la tête que plusieurs heures plus tard. Jamais il ne s'était senti aussi troublé par un personnage de roman. Celui de Bergerac était un explorateur qui voyageait dans l'espace, persuadé « que la lune est un monde comme celui-ci, à qui le nôtre sert de lune ». L'expédition était une interrogation sur les institutions et les valeurs du XVIIe siècle. Libertins, athées, adeptes du plaisir des sens, en un mot diaboliques, selon le narrateur, les habitants de la lune remettaient en cause l'autorité des dieux, des chefs et des pères. Le voyageur retournait finalement sur terre, la morale était sauve, mais pour qui savait lire entre les lignes, le siècle était terriblement malmené.

À minuit, le livre replié, Anabia voulut contempler l'astre depuis le ponton. La lune était à moitié pleine et le ciel, découvert, formait un vaste tapis bleu marine percé d'étoiles scintillantes. Il méditait sur ce peuple de la lune, si proche, au fond, de celui de sa lagune, quand un officier le bouscula.

— Pardonnez-moi, monsieur, mais il y a péril. L'ennemi vient sur nous à toutes voiles, dit l'homme hors d'haleine.

À peine tiré d'affaire, *le Poli* était attaqué.

L'alarme retentit. Les gardes-marine de monsieur du Mesnil de Champigny, arrachés à leur sommeil, se mirent en position de défense. C'était grotesque. Les fusils, mouillés par la tempête, n'étaient pas en état de tirer. D'Amon, perruqué, souffla le commandement militaire au brave Champigny.

— Messieurs, ce navire ne peut être qu'une embarcation de pirates. *La Hollande* et *l'Impudent* se sont séparés de nous pendant l'effort de la tempête. Chaque homme doit se saisir d'une épée, d'un couteau, d'une fourchette ou même d'une pelle. Il faudra vaincre, ou mourir.

— Plus que la mort, ne devons-nous pas craindre l'esclavage ? s'enquit timidement du Mesnil de Champigny.

— Si vous préférez vivre soumis, rugit d'Amon, pour moi cela revient au même. Anabia, je vous place en tête de nos soldats.

Le prince d'Assinie ne savait pas comment interpréter cet ordre. Le chevalier s'adressait-il au mousquetaire du roi qui avait fait ses preuves sur un champ de bataille ? Ou, platement, songeait-il à constituer un stock de chair à canon ?

Les deux hommes se dévisagèrent et comprirent qu'ils n'avaient pas d'autre choix que d'être unis dans la bataille. Anabia réprima un « Tous pour un » ironique cependant que le bateau pirate approchait. On voyait à présent les fanaux qu'il portait aux haubans. Ces lanternes n'annonçaient rien de bon. Leur lueur éclairait des visages sinistres.

Quelques mètres suffisaient pour que les pirates criassent à l'abordage. À la barre, d'Amon entreprit une manœuvre de la dernière chance. *Le Poli* cilla à peine, mais ce fut suffisant pour que le vaisseau ennemi manquât son coup. Dans le choc, il cassa net le beaupré, ce mât placé à l'avant du navire. Anabia s'attendait à combattre, les premiers assaillants prenant leur élan pour sauter sur le pont du *Poli*, lorsque le navire pirate, aspiré, recula brutalement. D'Amon en profita pour couper le vent à son ennemi cloué sur place. Dans les hourras, *le Poli* s'éloigna à vive allure, laissant dans son sillage l'ennemi paralysé. D'Amon le méritait encore, mais personne dans l'équipe ne songea à le féliciter. Après tout, il faisait son métier.

Le Poli avait eu son lot de malheurs. Il parvint sans peine à rejoindre Ténériffe, son port de relâche. Face à la ville de Santa Cruz, qui arborait pavillon espagnol, il fut salué de neuf coups de canon par *le Saint-François-d'Assise*, un navire malouin. D'Amon fit retentir sept coups, témoignant ainsi de la supériorité de son navire affrété par Sa Majesté.

La rade débordait de vaisseaux marchands. La plupart étaient espagnols. Sitôt à terre, Anabia, flanqué de Loyer, aperçut le dénommé Gazon, corde au cou, accomplir le vœu qu'il avait fait après la tempête. On se consola des pertes de *l'Impudent* dans une auberge où l'on servait ce vin dit de Malvoisie, réputé comme un des meilleurs du monde. La liqueur tirait son origine des coteaux d'Héraklion, en Crète. Les Espagnols l'avaient introduit dans cette place où, rectifié par un climat plus doux, il s'était épanoui.

Loyer avait déjà fréquenté l'île. Il s'émerveillait de retrouver le jardin potager le plus prolixe de la planète. Un printemps continuel favorisait la culture de salades gigantesques, de petits pois goûteux, de carottes succulentes. Les pommes, poires, prunes, cerises, abricots, pêches y étaient délicieux. Le bétail y prospérait, gros et gras, et le gibier, lièvres, lapins, cailles et perdrix, abondait dans les montagnes. « C'est donc un paradis », blasphéma Anabia. Le dominicain approuva en sifflotant entre ses dents un air calqué sur le chant des autochtones.

— Le peuple des Canaries aime les étrangers, dit Loyer. Sacrifiant au plaisir de la sieste, il ne sort qu'en fin d'après-midi pour arpenter les rues pavées de Santa Cruz.

Au pied des petites maisons de deux étages, Loyer s'enflamma encore sur la beauté de cette capitale. Que lui arrivait-il ? On le sentait délivré. À Groix, qui était pourtant son pays, le Breton était habité d'une profonde gravité. Mais il semblait que le soleil éclaircissait ses pensées les plus noires.

— Ici, les personnes du sexe sollicitent effrontément l'étranger jusque dans sa retraite, lâcha-t-il, fripon, tout en contemplant une statue religieuse vêtue de pied en cap.

Il se reprit rapidement :

— Il se trouve dans l'île une montagne très renommée, le Pic de Ténériffe, qui passe pour la plus haute du monde. En mer, si le temps est au beau, on la découvre à plus de soixante lieues, comme une nuée, en pointe de diamant. Elle est recouverte de neige toute l'année et l'on ne peut y monter que l'été. Le saviez-vous ?

Non, Anabia ne le savait pas. La montagne n'était pas son point fort.

Le soir, après la promenade, Anabia, Loyer, d'Amon et les principaux officiers du *Poli* furent conviés à la table du consul de France. Le diplomate était marié à une Espagnole. Suivant, paraît-il, la coutume de ce pays, il présenta sa fille aînée magnifiquement vêtue, couverte de bijoux et de pierreries. La gamine défila devant les messieurs en roulant des hanches. Le rouge qui couvrait ses joues laissait deviner une pudeur malmenée. Visiblement, d'Amon adora cette exhibition. Loyer lui-même n'y sembla pas indifférent. Seul Anabia, gêné, en éprouva de la honte.

Le Poli quitta les Canaries et neuf longues journées défilèrent sans que la moindre anicroche ne tirât Anabia de sa rêverie. Le souvenir de Marguerite palpitait à tout moment dans son cœur. D'Amon attribuait son air sombre aux incertitudes de la conquête du trône d'Assinie. Il se trompait.

Face à l'île de Gorée, Anabia sentit d'un coup qu'il était de retour en Afrique. Dans sa mémoire, cette nature luxuriante était quelque part en embuscade. Combien de Le Nôtre aurait-il fallu convoquer pour élever cette jungle rebelle en apparence, mais en réalité si bien ordonnée ?

L'île était entourée de rochers. *Le Poli*, en arrivant, emprunta une petite anse défendue par un fort. Il salua de neuf coups de canon. En réponse, la position rendit coup sur coup, dont le premier à boulet, souveraine marque d'honneur. Les Français avaient arraché la place aux Hollandais quelque vingt années plus tôt. Ce rappel de monsieur du Mesnil de Champigny, lancé sur le pont supérieur devant tous les officiers, figea d'Amon dans une pose étonnante. Les yeux mouillés, la main droite posée sur le cœur, il articula d'une voix étranglée :

— Messieurs, nous pouvons être fiers de la couronne de France. Vous avez sous les yeux la preuve vivante de notre gloire, et l'aveu des faiblesses hollandaises. Je propose, comme diraient les Anglais, un *toast* en l'honneur de Louis le Grand.

L'offre du chevalier d'Amon face aux cailloux prêtait à rire, mais chacun, sur le pont, reprit un « Vive le Roi-Soleil » tonitruant. En écho, depuis la mer, on entendit un jeune Français hystérique hurler : « Oui, vive le royaume de France, vive le royaume de France ! » C'était un représentant de la Compagnie du Sénégal qui venait à la rencontre du *Poli* en chaloupe. Parvenu sur le pont, il présenta ses hommages aux officiers. Il s'arrêta devant Anabia, refusant de le saluer.

— Que faites-vous ici ? Vous êtes un Nègre libre ?

— Je suis officier de Sa Majesté et retourne prendre possession de mes États, asséna Anabia dans un silence de mort.

— Pardonnez-moi, reprit le garçon, mais nous sommes sur les dents ici. Le fort abrite quantité d'esclaves destinés aux soutes de *la Hollande* et de *l'Impudent*. La traite bat son plein et nous craignons les évasions.

— Vous m'avez pris pour un esclave fugitif ? rigola Anabia

— Non, non, c'est que nous ne sommes pas habitués à croiser des Nègres gentilshommes, s'enferrait le jeune homme. D'ailleurs, je ne connais qu'un noble africain.

— Et de qui s'agit-il ? s'enquit Anabia.

— Du roi Damel Falbiram, qui règne sur la côte depuis la rivière Sénégal jusqu'à sept ou huit lieues plus loin que le Cap-Vert. Ce monarque, dans ses titres, se dit roi de Caillor, mais aussi de Baol et de Jaïn, où il asservit des peuples. Autrefois, il demeurait dans un grand village éloigné de la mer de quinze lieues. Le commerce d'esclaves l'a attiré près de nous. Il est riche, maintenant, et sa maison est superbe.

— N'est-ce pas le propre d'un roi que de posséder une demeure superbe ? interrompit Anabia.

— Oui, mais ce prince fait la guerre à ses propres sujets. Il les rend esclaves sur le moindre prétexte, pour nous les vendre en échange de marchandise et d'eau-de-vie dont il est si friand qu'il en consomme six pots par jour. Sa technique favorite consiste à rendre responsable tout un village des fautes d'un homme en particulier. Alors, il va avec ses gens, en armes, muni d'une grande quantité de fers, surprendre autant d'habitants que possible, les enchaîne, les emmène chez lui et les vend dès qu'il peut.

— Pour notre plus grande joie, approuva d'Amon.

— Oui, il est vrai que sans lui la traite serait difficile…

— J'ai entendu parler de ce diable, reprit d'Amon. Un malin. Figurez-vous qu'il a établi un impôt sur nous d'une valeur d'une bouteille d'eau-de-vie. Nous devons nous affranchir d'une carafe par chaloupe de bois et d'eau. N'est-ce pas scandaleux ? Ces biens ne sont-ils pas à tout le monde ? Mais nous sommes généreux… Le plus drôle, c'est que ce monarque de pacotille se fait lui-même enfler par ses administrateurs. Pour toucher les bouteilles d'eau-de-vie, il a nommé des espèces de receveurs chargés de veiller au marché. Mais ces receveurs ont l'habitude de remplir la moitié des bouteilles par de l'eau, et de s'en garder l'autre pour leur consommation personnelle. Si ces coquins se font piquer, ils en rejettent la faute aux Blancs. À part les surprendre sur le fait, le roi Damel ne peut rien prouver contre eux. La corruption est partout, mes amis. Tout n'est que pourriture, pourriture.

Tandis que d'Amon s'excitait, le jeune Français se montrait visiblement mal à l'aise. Il avait commencé sa tirade par des propos très durs. Il l'achevait en témoignant d'une grande pitié pour les esclaves. Mais que se passait-il dans le crâne des négriers ? se demandait Anabia.

Le garçon faisait son devoir, rien de plus.

Il repensa à ce code noir qu'il avait parcouru bien des années plus tôt. Cet article, en particulier, lui revenait en mémoire : « Déclarons les esclaves êtres meubles, et comme tels entrent en la communauté n'avoir point de suite par hypothèque. » Sans trop s'interroger, il s'était dit qu'en Assinie, aussi, les nobles avaient leurs esclaves. Que les Arabes, depuis la nuit des temps, pratiquaient ce commerce. Enfant, il jugeait le sort des esclaves plutôt doux. Achetés à l'âge de neuf ou dix ans, ils débarquaient des terres inconnues de l'intérieur. Ils étaient occupés à la culture des champs, et traités avec soin dans les familles qui les recevaient. Lorsqu'ils devenaient adultes, leur maître achetait une jeune fille qu'il leur donnait pour compagne. Ils étaient soumis à la servitude à vie, mais leurs enfants naissaient libres.

Devant la muraille du fort, Anabia prit soudain conscience que l'esclavage, cet asservissement absolu, était intolérable. Ce qu'il avait appris en France – la fréquentation des hommes d'esprit, les lectures comme celles de monsieur de Bergerac – lui commandait la colère. C'était indigne, de la part des compagnies occidentales, de pratiquer un tel commerce, bien sûr. Mais que dire des monstrueux profits tirés par les roitelets des côtes africaines ?

La traite des Noirs, ah ! la garce, nourrissait grassement les élites des deux continents. Ces femmes, ces enfants, ces hommes enchaînés à vie, c'était abominable. Il n'y avait pas d'autre mot. Le sort l'avait préservé de ces conduites barbares. Un simple accident géographique l'aurait conduit, fers aux pieds, dans les cales des navires en partance pour l'Amérique. Il lui aurait suffi de naître derrière la lagune, chez ces peuples soumis, pour finir lui-même esclave.

Les beaux esprits de Paris avaient raison de trouver ce code monstrueux bon à jeter. Il n'y avait rien à amender là-dedans.

Mais comment allait-il s'y prendre, lui, une fois débarqué en Assinie ?

Allait-il arracher ces innocents aux griffes du malheur ?

Aimablement, le jeune représentant de la Compagnie du Sénégal le convia à un repas donné au fort. Il déclina l'invitation. Il en avait suffisamment entendu.

Chapitre XI

Le mort saisit le vif

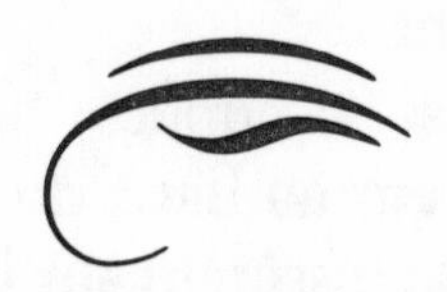

UNE GRANDE AGITATION RÉGNAIT À LA COUR D'ASSINIE. Le palais apprenait qu'un navire français, *le Poli*, mouillait à dix lieues des frontières du royaume. Des marins, débarqués en chaloupe sur les terres d'Abassam, avaient informé un soldat que le prince Anabia était à bord du navire. Grande nouvelle : les Français allaient enfin construire le fort. Le roi Akassiny devait aussi se mettre en chasse. Les Blancs voulaient des esclaves, beaucoup d'esclaves.

Shanga décida d'ébruiter aux quatre coins de Soco la nouvelle du retour de son ami d'enfance. Il réunit une petite foule de curieux et, en tête d'une escorte, gagna le rivage pour s'établir sous le drapeau blanc frappé d'une fleur de lys.

Le groupe guetta vingt-quatre heures les voiles du *Poli*. Enfin, une forme blanche, déchirant la brume qui se formait au soleil de midi, surgit de l'Atlantique. Shanga pleurait de bonheur en se mordant les lèvres. Tous, autour de lui, dansaient de joie en scandant le nom d'Anabia.

Le chevalier d'Amon jeta l'ancre à deux lieues de la côte, bien avant la barre que son vaisseau ne pouvait franchir. Les marins français savaient tous que seules les embarcations légères, pilotées par des hommes expérimentés, pouvaient s'aventurer au-delà de la montagne d'écume. Encore ne fallait-il pas craindre les nombreux requins qui frôlaient le banc de sable rougeoyant.

Cinq chaloupes, occupées chacune par cinq pêcheurs, accostèrent au flanc du navire. Shanga en tête, les Africains se hissèrent sur le pont du *Poli*. Le compagnon de jeux d'Anabia fut *illico* interpellé par d'Amon :

— Shanga, comment va la famille ?

— Bien, bien, les femmes sont belles et les petits grandissent, récita le jeune noble en glissant un coup d'œil à Anabia qui, en retrait sur le pont, agitait faiblement sa main.

Shanga n'avait qu'une hâte, retrouver son ami. Se jeter dans ses bras. Se lancer dans une suite ininterrompue d'embrassades et de rires. Sur le pont, le chevalier le prit dans ses bras squelettiques et continua en détachant ses voyelles :

— Nous voilà en Assinie après deux mois et quelques jours de navigation. Mon ami, il faut porter la nouvelle dans tout le royaume. La France est là pour honorer son traité. Nous allons construire un fort et enrichir votre pays. N'est-ce pas *wonderful*, comme disent nos amis anglais ?

Shanga voulait se débarrasser du chevalier. Reculant vers la rambarde, il fit diversion. Son index désigna un homme qui le suivait comme son ombre. Un vieillard. Un Blanc. Il expliqua dans un français hésitant :

— Voici Joubert, c'est un naufragé, un huguenot français… Son navire, hollandais, à destination du cap de Bonne-Espérance, s'est fracassé sur nos côtes. Il est le seul survivant du naufrage… Je le protège car il a perdu la tête… Il s'exprime comme un animal, par grognements, mais il est très gentil.

— Sa Majesté saura vous récompenser d'avoir pris soin d'un de ses sujets, répliqua d'Amon en jetant un coup d'œil en direction du protestant.

— Joubert n'a pas supporté de se retrouver seul dans sa langue.

— Bah ! qu'importe, nous voilà, la France est de retour, jeta le capitaine de frégate, intrigué par le visage de Joubert.

Depuis combien d'années le réformé ne s'était-il pas lavé la figure ? La barbe grise tombait bas. Plus que sa taille, sa matière déconcertait. Il y avait des poils, certes, mais aussi des restes, beaucoup de restes, de nourriture et de plantes diverses. Quelque chose s'agitait. En s'approchant, on découvrait des vers, nombreux, qui allaient et venaient, glissaient une tête à l'air libre, puis se réfugiaient dans la touffe. C'était incroyable. Ce type, vivant, était rongé comme un cadavre. Il y avait une véritable géographie sur sa figure. Des cratères de boutons, des pics de morve séchée, des torrents de salive pétrifiée. Cela bourgeonnait dans tous les sens, le spectacle était effroyable et l'odeur intenable. D'Amon réprima l'envie de l'abattre sur-le-champ. Joubert revint à lui.

Il tenta de parler. Des grognements s'échappèrent de sa bouche.

Shanga profita de la stupéfaction du chevalier pour courir auprès d'Anabia. Face à face, les jeunes gens marquèrent un temps d'arrêt. Anabia ouvrit les paumes de ses mains. Son geste exprimait autant le salut qu'une sorte d'évidence qui voulait dire : « Voilà, je suis revenu, c'était long, mais je suis là. » Shanga, les larmes aux yeux, s'empara des avant-bras de son ami pour les secouer. Aucune parole ne fut prononcée pendant un long moment. Enfin, Shanga se décida :

— Quand vas-tu débarquer ?

Anabia l'ignorait. Et d'abord, pourquoi s'adressait-il spontanément à lui en français ? D'Amon souhaitait être reçu à terre avec tous les témoignages d'estime imaginables. Il pensait qu'il fallait se faire désirer quelques jours, et employer ce temps à regagner l'amitié des envoyés d'Akassiny.

— Sa Majesté Louis le Grand a officiellement défini la mission de la Compagnie de Guinée, répondit Anabia. Il s'agit, *texto*, de « reconduire dans ses États le prince d'Assinie ». Me voici dans mes États. Je descendrai au moment opportun.

— Alors, viens tout de suite, s'anima Shanga.

Pourquoi pas ? Anabia rêvait d'une arrivée triomphale en Assinie. La vraie gloire, après tant d'années de l'autre côté des mers, était d'apparaître à la tête de soldats blancs. Monsieur du Mesnil de Champigny lui avait apporté son soutien dès l'embarquement à La Rochelle. Il était partagé. Fallait-il céder à l'impatience ? Quelle question ! Bien sûr que oui. Son peuple se languissait sur le rivage. Il n'avait pas serré dans ses bras un Africain depuis des siècles. Il suivit Shanga sous le regard étonné du chevalier d'Amon.

Face à la barre, la pirogue se souleva légèrement, domina un court instant l'étendue bouillonnante, à fleur de mer, et glissa tout d'un coup. Anabia sentit une force le pousser dans le dos, dans la nuque, alors que le vide l'aspirait. À la pagaie, les barreurs redoublaient d'effort afin de se maintenir sur le côté de la vague. En virtuoses, ils se laissaient déraper, sûrs d'eux, maintenant que la lame brisée les portait jusqu'au rivage.

Quittant les eaux saumâtres, la pirogue pénétra dans le lagon. L'aspect des rives, à mesure qu'on avançait, changeait à vue d'œil. Les pandanus aux noueuses racines et aux tiges couvertes de longues feuilles minces étalaient leur chevelure. Les élégants hibiscus fleuris éclataient de couleur face aux sombres palétuviers. Partout, sous les formes d'immenses grappes d'un rouge clair et vif, les fruits pendaient des palmiers. « Le paradis, je retourne au paradis », murmurait Anabia, une main trempée dans la mer turquoise.

Il sauta de la pirogue à quelques mètres du bord. L'océan le couvrait à mi-cuisse. La chaleur de l'eau l'étonna. Il resta un moment immobile. Cela suffit pour que des petits poissons jaunes et violets vinssent lui chatouiller les doigts de pieds. La petite foule, n'osant pas le déranger, restait sur le rivage.

Lentement, Anabia se mouilla le visage. Sa langue aspira les gouttes suspendues à ses lèvres. Ses bottes trempées l'embarrassaient. Il les confia à Shanga. Il se rendit compte que quelque chose clochait. Il comprit. Il balança au loin la perruque qui lui collait aux tempes et plongea ses longs cheveux de jais dans la mer, puis sa figure tout entière.

Il était décidé à rester sous l'eau aussi longtemps que possible. Le souffle coupé, les poumons comprimés, il se concentrait sur ses souvenirs d'enfance afin de chasser de son esprit toute trace de regrets. L'image du Grand Canal de Versailles remonta en lui. À la limite d'exploser, il refit surface. Debout, il se reprit. La tête à l'air libre, les pieds nus dans le sable, il réclama le silence.

Aquio-mingo furent ses seuls mots prononcés dans la langue du pays. Pour le reste, il chargea Shanga d'assurer la traduction. Il entama sa harangue d'un ton suave :

— Votre prince est de retour. Sa Majesté Louis XIV, le très grand roi de France, m'a éduqué dans les principes de sa cour. Je suis ici pour vous en transmettre le bénéfice. *Le Poli*, qui mouille devant vous, a navigué d'abord pour me ramener, ensuite pour construire un fort qui nous protégera de nos ennemis. Courez dire à Akassiny que je viens le soulager et m'occuper des affaires du royaume.

Anabia marqua une pause, foudroya de ses yeux aiguisés l'assemblée et poursuivit :

— Révélez à votre roi qu'il faut se méfier des Français. Il y a chez eux une distance infinie entre dire et faire.

Le visage de Shanga vira d'une expression de paix à une colère mal dissimulée. À peine débarqué, son ami affichait ses prétentions. Malgré son âge, Akassiny se portait bien. L'heure de la succession n'était pas venue. À pérorer ainsi, il ne manquerait pas de s'attirer les mauvaises grâces de tous les puissants de la cour.

Anabia, insensible aux énormités qu'il proférait, affichait une figure inexpressive. Il plissa des yeux (maintenant le soleil d'Afrique l'agressait), et proposa que tous se retrouvent pour une fête à Massan, son village natal.

La côte d'Assinie avait changé depuis toutes ces années. Les cases, qui ne trouvaient plus assez de place pour se développer près de la plage, s'éparpillaient le long de la rivière. Le secteur était fortifié. Des lignes de pieux reliés entre eux à l'aide de traverses solidement fixées par des lianes formaient un obstacle infranchissable en cas d'attaque. Qui craignait-on ? Son peuple pacifique n'était-il pas à l'abri des vengeances ?

Shanga devança la question d'Anabia :

— Depuis des années que les Namos mènent des guerres dans les pays voisins, le royaume tout entier craint des représailles. Avec le commerce de la traite, la menace va se faire encore plus forte. Assinie n'est plus le paradis d'autrefois. À tout moment, les nôtres peuvent se faire égorger.

Intimidé et songeur, Anabia passa la soirée à contempler de loin les réjouissances qui se déroulaient dans la maison qu'il occupait autrefois avec sa mère. La cour intérieure, garnie de divans, abritait des vérandas dont les murs, enduits de glaise, étaient badigeonnés de rouge. Des dessins représentant de grands lézards, des caïmans, des gazelles, formaient sur ce fond sombre des fresques qui donnaient à la demeure un aspect artistique. Anabia se sentait bien. Shanga interrompit sa rêverie.

D'après lui, jamais Akassiny, ce fier Namos, n'abdiquerait. Il ne fallait pas s'en émouvoir. Il était vieux. Le trône pourrait aussi bien se libérer demain, ou dans quelques années. Le coup de force était inutile et dangereux. À bien y regarder, il présentait même plus de risques que d'avantages.

Anabia risquait sa vie en cas d'échec. Les représailles seraient terribles parmi son peuple. Un succès augurait lui aussi de temps difficiles. Voyons. Même installé sur le trône, comment un Banta parviendrait-il à soumettre la noblesse namo ?

Les années passées aux côtés d'Akassiny avaient été précieuses pour Shanga. Son statut de négociant l'avait considérablement enrichi. Sa puissance s'était étendue à toutes les sphères. Les tribus rivales vivaient en concorde aujourd'hui. N'était-ce pas le plus important ?

L'attitude sage, avait conclu Shanga, était de revêtir l'habit d'homme d'État aux côtés d'Akassiny. D'ailleurs, le souverain n'était pas mauvais bougre. Il ne manquait pas une occasion de parler d'Anabia, qu'il nommait tantôt « mon neveu », tantôt « mon fils ». Pourquoi se fâcher ? Pour un titre ? Allons. « Jules Mazarin, maître absolu de la France jusqu'à sa mort », avait murmuré Anabia…

Plus que jamais unis, les deux amis d'enfance résolurent de se montrer adroits auprès du chevalier d'Amon. Plus question de rugir. De réclamer à tout bout de champ le trône d'Assinie. La Compagnie consoliderait leur position d'hommes forts car, dans tout le royaume, ils étaient tout simplement les seuls dignes de confiance. Somme toute, la partie était facile. Shanga s'enrichirait encore un peu plus. Anabia retournerait fortuné à Versailles. Tout doucement, ils parviendraient à convaincre ces messieurs qu'il valait mieux voir ailleurs pour chasser les esclaves. Les amis d'enfance scellaient encore leur union sur ce point. Leur ambition s'appliquait au commerce de l'or, pas à celui de la chair humaine. La traite les répugnait et mettait en péril la sécurité du royaume.

Pour sa première nuit à terre, Anabia, rassuré, s'endormit en pensant à Marguerite.

Il s'éveilla lourd d'une nuit de douze heures. Le soleil, déjà haut, dardait sa puissance de feu. À son contact, il sentit sa tête s'embraser. Il voulut reculer et regagner sa chambre. L'ombre lui tendait la main. Mais non. Il fallait promptement redescendre sur la plage et prendre des nouvelles du *Poli*.

De justesse, il reçut d'Amon au sortir du canot. Suivi de plusieurs officiers, le chevalier avait décidé de monter un campement provisoire sur la plage. D'autres chaloupes apportaient des tentes à terre. Anabia, ragaillardi, fit sa révérence les pieds dans l'eau :

— Monsieur, nous sommes fiers de vous accueillir sur la terre de nos ancêtres. Croyez-moi, nous userons de tous nos pouvoirs pour vous rendre ce que Louis XIV a fait pour nous.

Interloqué, d'Amon dévisagea Anabia. Mais pour qui se prenait-il, celui-là ? De quels pouvoirs parlait-il ? Que voulait dire ce « nous » de majesté ? Ce diable avait-il pris d'assaut le trône dans la nuit ? Jamais, en France, il ne se serait permis pareille hauteur. Le voilà qui poursuivait :

— Nous pouvons faire bâtir une case de petits roseaux recouverte de feuilles de palmier. Chacun campera.

Tandis que l'équipage débarquait les provisions, les toiles et les outils, Anabia et d'Amon se retrouvèrent seuls sur la grève. Ils n'eurent d'autre choix que d'entamer ce dialogue qu'ils repoussaient depuis La Rochelle. Les sujets, d'ordres commerciaux ou politiques, ne manquaient pas. D'Amon biaisa :

— Parlez-moi de vos femmes. Vous êtes-vous régalé cette nuit ?

Hanté par Marguerite, Anabia mentit. Son chagrin occupait tellement son esprit que, contrairement à la plupart des passagers du *Poli*, il n'avait ressenti aucune frustration pendant la traversée. La veille, la vision des Africaines callipyges n'avait pas davantage fait gonfler son pénis. Prévenant, il décrivit au chevalier les mérites des dames d'Assinie. C'était une imposture, il n'y avait jamais goûté :

— Peu de femmes au monde s'entendent aussi bien qu'elles à ruiner les hommes qui se sont empêtrés dans leurs filets. C'est la rançon. Car elles sont très belles. Elles ont l'esprit fin et adroit. On peut leur reprocher leur taille médiocre, mais voyez leur corps.

— Ah ! ces seins ! Des ananas, interrompit lourdement d'Amon. Et puis, pas moyen de se lasser. Nous trichons avec nos maîtresses, tandis que vous, adeptes de la sincérité, avez le courage de la polygamie.

Anabia voyait les yeux de d'Amon s'agrandir. À la pensée d'une étreinte, il se ravalait au rang du barbare. Son titre de chevalier ne pouvait rien pour lui. Anabia se cramponna au bras de son interlocuteur et souffla :

— Oui, la polygamie est la règle générale dans mon pays. Les hommes achètent une femme au retour de chaque expédition militaire. Il s'agit d'assouvir ses besoins, mais aussi de nouer des alliances. Le nombre des beaux-pères entre pour beaucoup dans la puissance de chacun.

— Heureux pays, jouit d'Amon.

— D'ailleurs, la demande vient des femmes, saliva Anabia. La femme seule, au foyer, est accablée de besogne. Laissez-la solitaire et vous verrez, c'est elle qui bientôt réclamera l'aide d'une compagne. Lorsqu'elles sont deux, elles se disputent. Alors, nous en prenons une troisième, disons, pour équilibrer. Mais alors, elles se mettent deux contre une, et l'équilibre ne se rétablit que lorsque nous en prenons une quatrième. Oui, voilà, le nombre quatre figure l'harmonie parfaite.

— Elles font des choses ensemble ? bava d'Amon.

— Oh ! la femme noire a l'humeur batailleuse. Et nous assistons parfois à des batailles rangées.

— Non, non, je veux dire... se font-elles des choses avec leurs doigts, avec leur langue ?

Anabia hocha la tête en signe d'approbation. D'Amon, en crise, cligna un œil :

— Allez, combien, hier ?

— Vous ne le répéterez à personne ?

— Ma parole...

— Eh bien, aucune, fit Anabia, décidé à jouer avec le chevalier.

Il marqua un temps d'arrêt, puis reprit, passant sa langue sur ses lèvres :

— Mais vous ne m'avez pas parlé des garçons.

— Quoi ? s'égaya d'Amon. On peut, je veux dire, il n'y a pas de problème ?

— Aucun. Et s'il vous prend l'envie de vous couvrir les reins d'un pagne jusqu'à mi-jambe et de jouer la femelle, il n'y a pas de soucis non plus.

— C'est donc exactement comme chez nous ! s'émerveilla d'Amon.

À ce moment, les deux hommes furent interrompus par les cris joyeux d'un homme qui s'avançait dans leur direction. C'était Niamkey, le frère du roi.

Contenant difficilement son excitation, Monsieur d'Assinie révéla que le roi les attendait le lendemain à Soco. Anabia traduisit la nouvelle au chevalier. Ce dernier reprit son masque d'envoyé de Louis XIV et congédia ses interlocuteurs. Il n'y avait rien à ajouter aux témoignages d'amitié que les Assiniens donnaient aux Français.

En matinée, d'Amon, Loyer, le commis Tibierge, le soldat du Mesnil de Champigny et les principaux officiers du *Poli* gagnèrent la capitale d'Assinie par pirogue. Sur les rives, des tambours et des trompettes célébraient leur arrivée.

Anabia était déjà aux côtés d'Akassiny. Il l'assurait de sa soumission et de son désir d'affermir les liens entre Namos et Bantas. En retour, le roi, très ému, lui réaffirmait son rang de prince et son désir de le voir lui succéder. Comme Shanga avait eu raison d'exhorter Anabia à la patience ! Tout allait pour le mieux. La colonie française allait enfin s'installer. Le fort militaire sortirait de terre. L'or serait ramassé à la pelle. Les esclaves ? En attendant *l'Impudent* et *la Hollande*, le sujet était éludé.

Accueillis par Shanga aux portes du palais, les Français franchirent les trois enceintes avant de pénétrer dans la salle du trône. Anabia, vêtu de ses habits européens, se tenait à la gauche d'Akassiny, Niamkey à sa droite. Le message à destination de la

Compagnie de Guinée était limpide. Les Africains formaient un bloc.

D'Amon s'évertuait à masquer sa surprise. Attiré par le visage d'Anabia (mais que manigançait-il ?), il se faisait violence en dévisageant la sœur d'Akassiny. Présentée comme la reine mère, cette vieille femme se dérobait derrière le monarque, aux côtés de splendides favorites drapées d'or. Au signal d'un soldat, la clameur des cuivres couvrit la salle. Puis le roi réclama le silence. Par Shanga, qui lui servait d'interprète, Akassiny feignit de s'étonner du débarquement français :

— Quel sujet vous conduit en ces lieux, messieurs, et en quoi puis-je vous être utile ?

D'Amon inclina légèrement la tête :

— Le désir de vous présenter notre respect nous conduit à Soco, Majesté. Mais une envie plus forte nous commande d'établir ici la foi chrétienne et d'enseigner à vos sujets les chemins du ciel. L'affection du grand Roi-Soleil ne se borne pas aux choses temporelles, nous y viendrons plus tard. Louis le Grand vous envoie deux religieux pour vous instruire dans notre religion. Dans ce dessein, le révérend père Godefroy Loyer est à votre disposition. La plus agréable nouvelle que je pourrais apprendre à mon roi serait de l'avertir de vos bonnes dispositions pour embrasser le christianisme.

D'Amon demanda à Shanga de traduire. Akassiny, mielleux, reprit :

— Je suis très sensible aux bontés du roi de France. À votre retour, vous lui témoignerez ma reconnaissance en lui rappelant que, toute ma vie durant, j'ai fait preuve d'un attachement inviolable à ses intérêts. Puisque Louis, mon frère, m'envoie ces religieux, j'aurai beaucoup de plaisir à les écouter. Dès demain, je leur ferai donner de petits enfants pour les instruire.

— Quelle joie, papillonna d'Amon. J'ai l'honneur de commander mon armée afin de construire le fort que vous avez réclamé pour votre sécurité. J'établirai dans votre royaume un commerce qui apportera une abondance en toutes choses, et une douceur de vivre que vous ne connaissez pas. Mais est-il convenable de parler maintenant affaires, alors que notre seigneur Jésus nous préoccupe ?

Comme d'habitude, il en faisait trop. Akassiny, cependant, le suivait dans son délire. De fort bonne humeur, il remercia le chevalier et marqua sa reconnaissance en un monologue de trois quarts d'heure. On apprit principalement qu'il souhaitait de tout son cœur cette alliance entre les deux peuples, et qu'il appelait Anabia, son neveu, « mon fils ». Avant de se lever de son trône et d'inviter ses hôtes à déjeuner, il révéla à l'assemblée qu'Anabia était désigné pour conduire les négociations. Mortifié, d'Amon fit sa révérence.

À table, les Français découvrirent un plat étrange. Très à l'aise, Anabia se lança dans un cours de cuisine :

— Le plat est composé de millet, broyé, puis réduit en farine. On verse une goutte d'eau sur la mixture et, après l'avoir bien remuée, on la roule entre les doigts de sorte que cette farine forme des petits grains moins gros que la pointe d'une épingle. On met le tout à sécher. Ensuite, on l'accommode de poissons cuits avec du piment.

À la notable exception de Loyer, curieux en tout, Anabia ennuyait prodigieusement son auditoire. Les

Français jugeaient le plat répugnant et se rinçaient la bouche avec de grandes rasades de vin de palme. D'Amon descendit une fiole d'eau-de-vie sans se préoccuper de ses compagnons. Écarlate, il planta ses yeux dans ceux d'Anabia :

— J'admire vos talents de cuisinier, cher ami, mais je croyais que vous étiez roi et maître d'Assinie. Pouvez-vous m'indiquer avec qui je dois traiter ?

— Vous ignorez nos mœurs, chevalier d'Amon. Devant les nobles et la famille royale, Akassiny a fait de moi son représentant. C'est un marché, en quelque sorte. Je règne sur le commerce d'Assinie. Il conservera son trône jusqu'à sa mort.

Les rôles étaient distribués. D'Amon comprenait qu'il n'avait pas le choix et devait s'adapter.

Le repas achevé, un soldat avertit le groupe que l'audience allait reprendre. Loyer réprima avec effort un rot qui se formait dans ses joues. De justesse, il s'était souvenu d'une explication d'Anabia : l'éructation était jugée des plus inconvenantes en Assinie.

Précédés par Anabia qui s'assit auprès du roi, les Français entrèrent dans la salle d'audience. Les officiers du *Poli* s'installèrent à même le sol. Le quatuor composé de d'Amon, Loyer, Tibierge et du Mesnil de Champigny prit place sur des sièges taillés à même un arbre. Pendant un court instant, on entendit quelqu'un claquer des dents : c'était du Mesnil de Champigny. Son corps, depuis le matin, était parcouru de frissons et de sueur. La fièvre provoquait en lui une sensation intenable de froid. En homme d'honneur, il tenait à ne rien laisser paraître. Couvé du regard par Akassiny, Anabia ouvrit le débat :

— Avant de régler notre alliance, nous voulons prendre des nouvelles de monsieur de Champigny. Vous sentez-vous souffrant ?

Le malade démentit. La séance de travail débuta.

On faillit se quereller sur l'emplacement du fort. Les Namos le voulaient à Soco pour défendre leur capitale. D'Amon argumenta. Afin d'établir une garnison en Assinie, il se voyait contraint de puiser sans excès dans les vivres. Un séjour limité à deux mois permettrait de laisser des hommes dans le royaume avec près d'une année de réserves. Les artisans gagneraient un temps considérable s'ils édifiaient l'enceinte près du rivage.

— Vos raisons sont trop bonnes pour ne pas consentir à ce que vous vous installiez au bord de la mer, acquiesça Anabia.

— Alors il nous faut du bois, beaucoup de bois, sous la forme de pieux de quinze pieds de long, dit d'Amon.

— Nous serons généreux, déclara Anabia, menton dressé.

Devant les yeux effarés des Français, l'après-midi se poursuivit en palabres dirigées par Anabia. À chaque fois que d'Amon abordait le sujet de la traite, le prince le divertissait en évoquant de mystérieuses mines d'or dispersées à travers le royaume. D'Amon sentait un tic nerveux s'emparer de sa mâchoire. Un moment, Akassiny sortit de sa sieste pour réclamer les soixante onces d'or promises par d'Amon des années plus tôt. Le commandant du *Poli* s'y attendait. Il glissa entre les mains du vieil homme un petit coffre plein à craquer.

Anabia voulut dépoussiérer le traité signé trois années plus tôt par d'Amon et Akassiny. Il n'y avait qu'une ligne à ajouter : « Le fort doit s'élever au plus près du mouillage, sur la lagune. »

Anabia tenait à tout réécrire. Il voulait apposer sa signature au bas du document. D'Amon, après l'avoir paraphé, remit à Akassiny les cadeaux de Louis XIV. Anabia craignait de ne pouvoir dissimuler une pointe de jalousie, mais ce furent finalement des rires qu'il tenta de réprimer. La vaisselle, les barils, les divers objets s'entassèrent bientôt au pied du trône. Ce trousseau était grotesque. Il n'y avait que les femmes du roi pour s'en enthousiasmer. On se sépara avec la promesse de commencer la construction du fort dès le lendemain.

À l'aube, une vingtaine de marchands de bois se présentèrent au campement des Français. Les forgerons, par groupes de quatre, offrirent à leur tour leurs services. Depuis des années qu'ils fabriquaient des fers pour les esclaves, ils espéraient une autre occupation. Assemblés sous un palmier, pipe à la bouche, ils installèrent dans le sable leurs forges portatives et allumèrent un petit feu en attendant les commandes.

D'Amon, en Vauban exotique, décida que les travaux démarreraient par l'édification d'une des courtines du fort. Ce rempart devait joindre les flancs de deux bastions prévus pour abriter quatre pièces de canon chacun. Les premières tranchées furent creusées. Les pierres et le bois s'empilèrent sur la plage. Le paisible rivage se métamorphosait en atelier à ciel ouvert.

Dans l'après-midi, on reçut des malles d'or depuis la mine située à huit journées de route. Le filon tenait toutes ses promesses en garnissant six coffres par jour. Les cales du *Poli* allaient se remplir. « Tout nous réussit », se réjouissaient de concert Anabia et d'Amon.

Le soir, à Soco, Anabia entra dans la maison de Shanga. Après cette brillante journée, il voulait lui souhaiter une nuit heureuse.

Il se figea au seuil de la pièce. Sur le sol, légèrement incliné, une rigole de sang coulait sur plusieurs mètres. Terrorisé, il remonta la trace rouge jusqu'à sa source. Le sang avait giclé d'une artère située dans la gorge de Shanga.

Anabia contourna la flaque et vit le corps inerte de son ami blotti contre un muret. Sa tête pendait sur le côté. Il la retourna doucement vers lui et découvrit le visage de Shanga figé dans une expression de paix. Ses traits lisses étaient d'une beauté à couper le souffle. Un petit sourire restait figé sur ses lèvres. Que s'était-il passé ?

Anabia se redressa et se retourna d'un seul mouvement, de peur que le meurtrier ne se trouvât encore dans la pièce. Chassant la douleur qui affluait en lui, il inspecta les lieux. Le couteau de Shanga gisait à quelques mètres de son corps. Il témoignait d'une bagarre, et d'une tentative de défense. Sur une table, deux verres vides encerclaient une bouteille d'eau-de-vie. Les deux chaises étaient renversées au sol. L'assassin avait été accueilli par sa victime sans que celle-ci ne se fût méfiée.

Usant d'une couverture, Anabia pansa la gorge. Agenouillé, la tête de Shanga blottie contre son épaule, il se rendit compte que le corps était brûlant. S'il avait été plus chanceux, il aurait croisé le criminel. Il était arrivé trop tard, quelques minutes trop tard, et cela avait suffi pour qu'un assassin le prive de son ami d'enfance.

Il n'avait pas envie de pleurer. Il était trop tendu pour ça. Un motet de Jean-Baptiste Lully, *Miserere*, se ranima dans sa mémoire. Il sifflait le chant religieux à l'oreille de son ami quand un cri retentit. Il sursauta, pivota, et vit un esclave qui découvrait l'effroyable spectacle. L'homme détala. Quelques secondes plus tard, il réapparut, entouré de toute la maisonnée. Anabia se releva et expliqua l'affaire en quelques phrases. D'un débit automatique, il ordonna de nettoyer la pièce, de prévenir Akassiny, la cour, le marabout, mais aussi le révérend père Godefroy Loyer. Ces recommandations chassaient la stupeur qui s'était emparée de lui.

Il ne parvenait toujours pas à admettre que le cadavre de Shanga était là sous ses yeux. Ses phrases agirent comme des passerelles entre la réalité et la conscience qu'il avait de cette réalité. Le fait de prononcer les mots fit se fixer quelque chose de tangible dans son esprit. Cette lucidité retrouvée déclencha ses larmes.

Il se réfugia au pied d'un baobab. Massan était sombre. Il rechigna à piocher dans sa réserve de bougies et médita toute la nuit à la lueur d'un croissant de lune et du scintillement des étoiles. La vengeance occupait toutes ses pensées. La tradition, en Assinie, voulait qu'un proche d'une victime réglât la dette de sang. Personne n'était mieux placé que lui.

Quelques heures après le meurtre, signe que le village entier savait la triste nouvelle, le tam-tam de guerre retentit, battant un rythme désespéré. En un écho bizarre, Anabia entendit dans le fracas de son crâne des musiciens qui attaquaient cet air d'*Armide*, Lully encore, chanté en vers :

Frappons… Ciel ! qui peut m'arrêter ?
Achevons… Je frémis ! Vengeons-nous… Je soupire !
Est-ce ainsi que je dois me venger aujourd'hui ?

Anabia apparut rasé devant les visiteurs. Le crâne nu était un signe de deuil en Assinie. Il portait également un couteau à sa ceinture. C'était le couteau du sang. La lame ne rentrerait dans sa gaine que lorsque le meurtrier aurait cessé de vivre. Aux yeux de tous, Anabia acceptait de tuer l'assassin de ses mains.

Une centaine de femmes, assemblées comme les pleureuses de l'Antiquité, étaient accourues. *Aourou !*, sanglotaient-elles, ce qui voulait dire : « Il n'est plus. »

Il n'était plus ? Mais la coutume voulait qu'on le cherchât. Les unes, munies de pioche, creusèrent de petits trous en divers endroits de l'habitation de Shanga. Elles l'appelèrent partout. Les autres, courant de case en case, interrogèrent les villageois : « L'avez-vous vu, l'avez-vous vu ? – *Aourou* », répondaient les paysans. Il n'était plus.

S'en retournant, pleurant toujours, les femmes chantèrent en cadence et cherchèrent encore dans les endroits où Shanga aimait se promener. Dans leurs chants, dans leurs cris, elles célébrèrent alors Shanga, racontant les épisodes les plus fameux de sa vie, ressassant ses vertus et ses richesses. Quand les chants cessèrent, cinq d'entre elles entrèrent dans sa chambre pour le peigner, l'habiller de son plus beau pagne, le barbouiller d'un fard doré et l'orner de bijoux.

Le révérend père Godefroy Loyer débarqua à cet instant au chevet de Shanga. Anabia veillait son ami.

Les deux hommes assistèrent à l'arrivée, devant le corps, de la foule des pleureuses. La scène était si extravagante que le dominicain souhaita une traduction. L'une après l'autre, les femmes s'adressaient à Shanga en lui demandant pourquoi il était mort. La colère avait fait place à la peine. Le pauvre bougre en prenait pour son grade. N'avait-il pas de quoi vivre honorablement ? N'était-il pas riche d'or, de femmes et de grains ? Les esclaves ne le servaient-ils pas admirablement ?

Alors ?

Qu'est-ce qu'il lui avait pris de mourir comme ça ?

Les pleureuses s'en retournèrent en soufflant bruyamment. Au loin, des jeunes gens vidaient en l'air les fusils de d'Amon.

La cérémonie prit fin à l'arrivée du cercueil. Le soleil déclinait. Un silence angoissant s'emparait des lieux. Même les oiseaux s'étaient tus. Anabia s'avança en direction des cinq femmes qui s'étaient occupées de la dépouille de son ami. La mère de Shanga se trouvait parmi elles. Il l'embrassa longuement et joignit sa main à la sienne. Ainsi liés, ils assistèrent au déplacement du corps. Shanga remuait pour la dernière fois. De son lit au tombeau.

À la stupéfaction de Loyer, aucun prêtre ne célébra d'office. Il avait respectueusement attendu quelque chose. Une prière ou une parole. Prenant conscience que le défunt allait être embarqué par des esclaves, il se lança dans une supplication que personne, pas même Anabia, n'écouta. Toute l'attention était dirigée sur le dernier repas de Shanga. De la volaille ou du mouton ? Avant de refermer le coffre où il reposait, on y déposa un beau gigot et du bouillon pour le nourrir. Il avait besoin de forces pour son voyage dans l'autre monde.

Dehors, Anabia se retrouva face aux paysans. Devant eux se tenaient la cour, les nobles et les marchands. Un court instant, il regarda son peuple en cherchant le coupable.

Le cercueil, porté à bout de bras par des esclaves, fendit la foule en direction de la forêt. Pas de cimetière ici. Un marabout avait indiqué un lieu écarté qui devait rester secret. Sans être suivis de personne, les esclaves enterrèrent Shanga dans un trou qui fut dissimulé soigneusement.

Tout le jour, dans l'indifférence générale, Joubert, le naufragé, avait grogné comme un animal blessé.

Chapitre XII

Pleure, ô mon pays bien-aimé

« TRAITÉ FAIT ENTRE LES DEUX ROIS TRÈS CHRÉTIENS ET CATHOLIQUES avec la Compagnie royale de Guinée établie en France concernant l'introduction de Nègres dans les Amériques. »

Jean-Baptiste Ducasse, chef d'escadre des armées navales du roi, parachevait à Madrid la négociation qu'il avait entamée quelques mois plus tôt sur ordre du ministre Pontchartrain.

Rien au monde n'était plus capable d'enrichir la Compagnie de Guinée, et Versailles avec elle, que cet *asiento*, ce droit exclusif de diriger la traite dans l'Amérique espagnole. Tout à son or, le chevalier d'Amon oubliait cet immense détail.

L'accord était scellé pour dix années. Le temps que chacun se mette en place, les autorités fixaient la date du 1er mai 1702 pour l'ouverture des transactions. Le pacte expirerait à pareil jour, en 1712.

L'intention était de livrer, sur la période, « quarante-huit mille Nègres, des deux sexes, de tous âges ». L'exclusivité de la vente aux Amériques s'accompagnait d'une puissante contrepartie financière : « Pour chaque Nègre, suivant l'usage établi dans ce pays, la Compagnie paiera trente-trois écus un tiers. Ladite Compagnie, pour accéder au marché, paiera six cent mille livres en deux paiements, la Compagnie ne pouvant se rembourser de cette somme que sur les deux dernières années du traité. »

Marguerite avait vu juste. Le fort d'Assinie allait se transformer en souricière. Louis XIV, devant Anabia, avait évoqué le commerce de « mille Nègres par an ». On en était bien à quatre fois plus ! Ducasse, qui jouissait de l'admiration du roi à son égard, se réservait le domaine américain, son sucre et son café. Grand Dieu ! pour réaliser son ambition, voilà qu'il réclamait même des femmes et des enfants.

Très loin de Madrid, en Assinie, le fort était considéré comme achevé. D'Amon faisait grimper le pavillon devant la place d'armes. Monsieur du Mesnil de Champigny, mort deux jours plus tôt de sa fièvre, était déjà enterré et oublié. La joie d'en avoir terminé balayait tout chagrin.

Le roi Akassiny débarquait de Soco pour la cérémonie d'inauguration. D'Amon, très appliqué, récitait à ses côtés :

— Le fort est un carré de soixante-quinze pieds de côté avec des bastions de vingt-neuf pieds, quarante-neuf pieds de courtine, des terrasses et un magasin à poudre. La palissade compte neuf pieds hors de terre et cinq pieds dans la terre. Comptez aussi deux magasins de vingt-huit pieds de long chacun, l'un pour les vivres, et l'autre pour loger les officiers et les religieux. Notez une église, de vingt pieds de long, où il ne manque pour le moment que le toit.

Mains tendues, le chevalier s'avança auprès d'Anabia. Il fit un effort pour jacasser d'un ton allègre :

— *Tenere lupum auribus*... Chacun aura reconnu Térence, ce Grec, modèle de notre cher Molière. Oui, nous tenons le loup par les oreilles. Et je vous informe que la Compagnie a choisi le nom de notre glorieux roi saint Louis pour désigner le fort.

— Avec le fort Saint-Louis, nous sommes en état de nous défendre contre toute l'Afrique, s'enthousiasma Niamkey, frère du roi.

Qu'ajouter à cela ? Ce n'était pas la bonne saison pour prolonger indéfiniment les réjouissances. En fin de journée, les pluies s'abattaient sur la lagune. Vague après vague, depuis l'océan, d'épais nuages noirs avançaient. Il y avait encore un moment de répit. Godefroy Loyer chanta un *Te Deum,* « Seigneur, nous Te louons », repris en clameur par les cent vingt membres d'équipage du *Poli.* D'Amon frappa dans ses mains pour réclamer le silence. Haletant, il conclut :

— J'ai gardé le meilleur pour la fin. Akassiny, roi glorieux, je vous offre une médaille d'or à l'effigie de Louis XIV. C'est une marque de distinction extrême. Le Roi-Soleil n'a fait cet honneur qu'à l'empereur de Chine et au roi de Siam. Nous vous recommandons de ne jamais laisser sortir ce trésor de votre dynastie. La médaille doit passer de vous à vos successeurs comme le témoignage précieux de la faveur et de la protection que vous recevez du plus grand roi du monde.

Les yeux anormalement grands dans son visage pointu, d'Amon dévisagea d'un air grave Akassiny et, prenant soin de ne pas frôler ses cheveux qui le répugnaient, remit la babiole, tenue par un ruban bleu, au col du souverain.

L'assemblée se dispersa aux premières gouttes.

La mission du chevalier d'Amon touchait à sa fin. Sans doute parce qu'ils avaient rempli leurs soutes avec l'aide de la Compagnie du Sénégal, *l'Impudent* et *la Hollande* s'étaient écartés du golfe de Guinée. Il ne servait plus à rien de réclamer des esclaves. À terre, les bonnes volontés faisaient fructifier le commerce.

Réfugié sur *le Poli*, d'Amon sortait le moins possible de sa cabine, ne daignant apparaître sur le pont qu'à l'arrivée des coffres d'or. Jamais de sa vie, jura-t-il un après-midi, il n'oublierait ce moment où on lui présenta une pépite grosse comme un pouce. Heureux pays que celui où l'or coule à flots. Le reste du temps, il vaquait à des occupations mineures et laissait son commis, Tibierge, s'occuper des pirogues qui s'amarraient au flanc du vaisseau. Emplies d'un coton « aussi blanc et aussi fin que de la soie », disait-il, et d'un poivre qui avait le goût et la forme de celui des Indes, elles déversaient sur le pont leurs marchandises en échange de breloques.

Niamkey était son visiteur le plus régulier. Un véritable Gabriel, porteur de bonnes nouvelles à tous les coups. L'une d'entre elles le plongea dans une véritable extase : à douze lieues de Soco, une autre mine venait d'être découverte. Mais un esprit protégeait les lieux. À s'approcher, on risquait la mort. D'Amon explosa de rire et informa Monsieur frère qu'il irait lui-même dans les parages à sa prochaine visite.

Pour fêter l'événement, il réclama des jeunes garçons. Quatre au moins. L'archange Niamkey s'acquitta parfaitement de sa tâche. Désireux de plaire, il choisit lui-même les éphèbes et les vêtit selon son goût. Grossièrement maquillé, d'Amon accueillit la troupe. À la vision de ses lèvres aussi rouges et épaisses qu'un cul de babouin et de ses yeux soulignés de noir, les adolescents hurlèrent de terreur. Niamkey les menaça d'une raclée s'ils continuaient à mal se conduire. D'Amon jugea cette intervention si brillante qu'il l'invita lui aussi dans la cabine. Très heureux de contempler pour la première fois l'organe d'un blanc, Niamkey se précipita. La partie tourna court. D'Amon était trop saoul pour bander.

Niamkey informa lui-même son frère que le départ du *Poli* était imminent. Le chevalier d'Amon avait en effet allégué quelque prétexte fumeux pour ne pas se rendre à Soco. Feignant d'en être désolé, il priait chacun de lui accorder ses excuses.

Le chevalier laissait ses instructions à Tibierge. Une garnison de trente hommes, placée sous les ordres d'un certain monsieur Staquet, officier de marine, avait pour mission de défendre le fort Saint-Louis. Bien que des navires de la Compagnie de Guinée fussent attendus en Assinie dans les six prochains mois, le chevalier prit soin de laisser à terre dix mois de vivres.

À sa dernière visite, Niamkey déversa sur le pont onze hommes enchaînés. Il expliqua :

— Je n'ai plus d'or en réserve, mais voici, pour notre dernier échange, des esclaves en excellente condition.

— *Le Poli* n'a pas reçu de mission de traite, rétorqua d'Amon en s'avançant vers les prisonniers.

— Mais ceux-là, mon ami, sont d'une force peu commune, insista Niamkey en inspectant les mâchoires des captifs comme il l'avait vu faire des Blancs, et comme il l'aurait fait à du bétail.

— Je n'ai même pas de quoi les nourrir, dit d'Amon.

— De l'eau suffira, assura le frère du roi.

D'Amon réfléchit un instant. Il contempla Niamkey avec l'air insolent d'un épervier jaugeant sa proie. Il pensa au petit magot représenté par la vente de ces hommes aux Amériques. Il joua avec sa mâchoire, émit un son crispant avec ses dents et confia qu'il était décidé à contourner la Compagnie de Guinée :

— C'est bon, je les prends. Mais pas un mot, l'affaire reste entre nous. D'ailleurs, je vous les négocie au prix le plus bas.

Quand *le Poli* leva l'ancre, le chevalier avait en main une lettre cachetée de cire rouge destinée à Louis XIV. En y regardant de près, l'on pouvait y distinguer deux lions, la tête de côté, un léopard surmonté d'une étoile, un caïman et des pêcheurs nus manœuvrant une pirogue. Anabia avait veillé à la qualité du sceau et au contenu de la missive. C'était lui qui avait écrit :

Akassiny, roi d'Assinie, au très grand et très puissant empereur des Français Louis XIV,

Je suis bien aise de témoigner par cette lettre à Votre Majesté le cas particulier que je fais de l'amitié du plus grand roi du monde. Vous en serez encore mieux persuadé quand monsieur le chevalier d'Amon aura rendu compte à Votre Majesté de la manière dont je lui ai permis, suivant vos ordres, de faire un établissement dans mon royaume. Je ferai tout ce qui dépendra de moi pour aider et protéger vos sujets dans toutes les occasions qui se présenteront. Mais comme les armes et la poudre que nous ont fournies autrefois les Anglais et les Hollandais sont de très mauvaise qualité, je prie Votre Majesté de me faire le plaisir de m'en envoyer par monsieur le chevalier d'Amon. Il m'a remis votre portrait que je garderai comme étant le plus grand et le plus précieux présent qu'on pouvait me faire. Il m'a remis aussi toute la vaisselle d'argent, les vivres et les ustensiles dont il était chargé. Après que je lui ai témoigné ma vive reconnaissance pour tous vos magnifiques présents, il m'a fait connaître la forte envie que Votre Majesté avait d'établir la religion chrétienne dans mon royaume. J'ai été bien aise, pour lui marquer le désir que j'ai de Vous plaire, de lui remettre un de mes enfants et trois autres de ma noblesse. Quand Votre Majesté aura envoyé un plus grand nombre de religieux, j'ordonnerai que tous les enfants de mon royaume aillent au fort s'y faire instruire. J'aurai moi-même des conférences avec les frères pour tâcher de connaître le Dieu qu'adore le plus grand empereur de l'Univers.

Je prie Votre Majesté de me donner les moyens d'exécuter ses intentions et de m'accorder sa protection.

Akassiny, roi d'Assinie[1]

Anabia, de son côté, habitait seul dans la maison de Shanga. Il se rendait chaque jour au fort Saint-Louis, observait d'un air détaché les exercices militaires et veillait attentivement, au nom d'Akassiny, à développer le commerce. L'or s'entassait dans le magasin des vivres. En retour, le commis de la Compagnie de Guinée payait. Tibierge payait mal, mais il payait.

En fin de journée, il assistait à la messe donnée par Godefroy Loyer. Il se sentait catholique, sans retour vers ses idoles. Les journées, monotones, passaient dans le sentiment du devoir accompli et dans le regret que l'assassin de Shanga courût toujours. Il s'en remettait au Dieu chrétien pour assouvir sa vengeance.

L'envie s'était réveillée. Un soir, il avait répondu aux avances de la sœur de Shanga. Il lui faisait l'amour presque tous les jours, lentement, attentif à son désir. C'était sa seule distraction depuis qu'il était de retour en Assinie. Il était reconnaissant à sa partenaire du plaisir offert, du plaisir reçu, de la vie qui continuait dans ces étreintes physiques plutôt tendres, mais dénuées d'amour.

Au lit, ses manières surprenaient l'Africaine. Il aimait la prendre par-derrière, tenir d'une main le flanc d'une fesse et, de l'autre, caresser le clitoris. Sa

1. *In* Paul Roussier, *op. cit.*, p. XXXI.

tribu avait préservé la jeune femme de l'ablation rituelle pratiquée chez les voisins. Comme pour le peuple Krobo, l'initiation, le *dipo*, était marquée depuis des siècles chez les femmes d'Assinie par un délicat tatouage bleu sur le dos de la main. Sous l'index d'Anabia, la vulve se gonflait. Alors, en français, il l'interpellait :

— Tu sens comme je te caresse bien ?

Oui. Elle n'entendait rien à la langue de Molière, mais elle sentait. Qu'importait si cette position, réservée aux chiens, était infamante en Assinie.

Un jour, elle sortit de son pagne un ustensile qu'Anabia n'avait jamais vu. Sculpté en bois, un pénis parfaitement imité pendait à une corde. Aussitôt, elle se mit à jouer avec la chose en affirmant que pas un homme n'en avait une aussi grosse. Anabia approuva et se promit d'embarquer l'instrument à Versailles – si jamais il devait y retourner un jour.

Pour l'heure, c'était Versailles qui venait à lui. En avance sur les prévisions les plus optimistes, un navire de Nantes, affrété par la Compagnie de Guinée, mouillait devant l'Assinie. Six mois s'étaient écoulés depuis l'arrivée dans la lagune. Le calendrier européen tournait une nouvelle année.

La chapelle du fort n'était pas l'endroit le plus approprié pour colporter les nouvelles, mais il fut choisi pour ses chaises et l'ombre qui y régnait grâce aux murailles du fort.

Entouré de tous les Français, Anabia apprit l'existence du traité signé entre Ducasse et la couronne d'Espagne. C'était donc pour cette ignominie que les négriers de Nantes se trouvaient en Assinie. Ils avaient anticipé leur traite pour stocker leur marchandise. Les temps à venir promettaient d'être difficiles. Autour de l'irréductible Guillaume III, prince d'Orange et roi d'Angleterre, s'était reformée la fameuse « Grande Alliance » contre la France.

Eu Europe, on ne courait plus à la guerre. On y était. Un traité secret unissait les Anglo-Hollandais à l'empereur. Les premiers, en puissances maritimes, se réservaient le commerce avec les Amériques. Le second lorgnait les possessions italiennes de l'Espagne. Nobles défenseurs du parti protestant contre hérauts de la cause catholique. Les ennemis de toujours se dressaient de nouveau les uns contre les autres.

Sans être déclarée, la guerre avait commencé dans le Piémont. Le prince Eugène, chef militaire de l'empire autrichien, avait franchi les défilés du Tyrol à la tête de trente mille hommes. À Saint-Frémont, bourgade logée entre l'Adige et le Pô, ses troupes étaient tombées brusquement sur le quartier français du maréchal Catinat. Les troupes de Louis XIV prétendaient qu'elles avaient résisté héroïquement, qu'elles s'étaient repliées dans la dignité, mais personne ne croyait à un mensonge qui ne visait qu'à atténuer l'écho désastreux de la défaite. Les pertes avaient été immenses.

Ah oui, les négriers colportaient autre chose. Monsieur, frère du roi, avait rendu l'âme à Saint-Cloud. Mais de cela, qui se souciait ?

On allait donc s'entre-tuer en Europe. Sur les mers, la flotte française cesserait de naviguer aussi librement que les cygnes des étangs parisiens. Le commerce deviendrait plus difficile. Alors, vite, il fallait attaquer la traite. Engranger.

Anabia se demanda comment tout faire capoter. Aucune idée de génie ne lui vint à l'esprit. Décidément, il piétinait allégrement son amitié pour Shanga. *Primo*, il n'avait toujours pas été capable de retrouver son assassin. *Secundo*, il ne voyait pas comment se dresser contre la traite. Shanga et lui avaient conclu un pacte sur ce point. Il se sentait incapable de l'honorer.

Akassiny, comme il s'y attendait, n'opposa aucune résistance à la requête formulée par Tibierge. Il affirma même qu'une dizaine de jours suffiraient pour capturer des centaines d'habitants du royaume voisin d'Abouga. Ducasse, il est vrai, avait mis du sien. L'avantage des enfants, c'était qu'ils ne couraient pas trop vite.

En conseil, Anabia tenta une manœuvre politique. Il se crut habile d'expliquer que la paix, scellée entre l'Assinie et son voisin, volerait en éclats avec les excursions dans les autres royaumes. « Nous paierons », répondit en substance Akassiny, rallumant les espoirs de ce côté-là.

Anabia avait l'oreille de sa majesté. Il insista encore. Il quitta la langue française pour celle d'Assinie. L'ennui fut qu'il transposa à la sauce africaine des idées philosophiques à la mode dans les salons de Paris.

Il osa réclamer de la pitié pour le sort des enfants et des femmes. Akassiny le regarda d'un air intrigué. Il ne comprenait absolument rien à ce qu'il racontait.

Bavardant en paraboles, il cita Bossuet, ses sermons, sa mansuétude pour les pauvres. Qui étaient les esclaves, interrogea-t-il, sinon des pauvres démunis de tout pour vivre, et en premier lieu de la possibilité de se défendre ?

L'évêque de Meaux galopait dans la mémoire d'Anabia. Celui-ci admettait, implicitement, qu'il ne pouvait y avoir de sous-hommes, puisque tous les hommes étaient créatures de Dieu. Les esclaves étaient issus de peuples faibles et infirmes ? Et alors ? N'était-il pas écrit dans le *Panégyrique de saint Paul*, « récité le jour de *ma* communion », précisa Anabia : « La chair qu'il a prise est infirme, la parole qu'il prêche est simple : nous adorons dans notre sauveur la bassesse mêlée avec la grandeur » ?

Akassiny écartait les yeux à s'en déformer le visage. Mais que venait fabriquer ici la foi enseignée à Versailles ? Anabia, très agité, conclut enfin son raisonnement. Non seulement les pauvres, donc les esclaves, méritaient la compassion, mais, surtout, c'était une action diabolique que de songer à les vendre. De quoi déclencher la fureur des ancêtres.

De quoi damner pour longtemps la terre d'Afrique. Imaginait-on un lion céder ses lionceaux à un autre lion contre un repas de gnous ? Non, les animaux avaient la sagesse de protéger leur espèce.

Songeur, le roi hasarda :

— Et toi, que fais-tu de tes esclaves ?

— Ce n'est pas pareil, répondit Anabia. Je n'ai rien décidé. Ces hommes et ces femmes étaient liés à Shanga.

— Ah ! bon, fit Akassiny, plus déconcerté que jamais.

Les paroles du monarque flottaient encore dans l'air épais. Anabia comprit qu'il venait de se planter une lance dans le pied. Il rejetait l'esclavage d'un côté, convoquait des principes religieux et philosophiques pour affirmer son raisonnement, mais validait une partie du système de l'autre, au nom des traditions.

Il devait admettre qu'il n'était pas un lion, lui non plus.

D'un revers de la main, Akassiny pria l'assemblée de se taire. La supplique du prince n'avait pas d'objet. Déjà, il avait décidé de confier la chasse à l'homme à Niamkey, son frère.

— Bien entendu, précisa-t-il, perfide, il te revient, à toi, mon homme de confiance, de négocier avec les gens de la Compagnie de Guinée.

La colère s'empara d'Anabia. Il tapa d'un pied dans la terre battue, soulevant un nuage de poussière, et siffla entre ses dents :

— Je me tue à vous faire comprendre qu'il est indigne de vendre des hommes. Et vous voulez que je m'associe tout de même à ce marché. Plutôt mourir.

— Ne t'emporte pas, filleul, rétorqua le roi, marquant bien la dégringolade du rang de « fils » à celui de « neveu ». Je comprends tes réserves. Mais rappelle-toi que je t'ai nommé à la tête de mes affaires. C'est ton devoir d'obéir.

— Et si je refuse ? interrogea Anabia.

La lance qu'il imaginait s'être plantée dans le pied le menaçait plus précisément. Mieux valait filer doux. Hélas ! l'heure n'était plus aux tentatives pour faire échouer la traite.

— C'est très simple, filleul. Si tu refuses, tu perds ma confiance. Plutôt mourir, dis-tu ?

Anabia sourit. Il fallait se tenir le plus loin possible de la traite. Par exemple, en prétextant une fièvre. Sur le chemin du retour, il s'amusa à penser que garder le lit avait pour avantage de recevoir fréquemment la sœur de Shanga.

Anabia se coucha en homme désespéré. En toute lucidité, il se comportait en lâche. Pourquoi n'allait-il pas soulever son peuple de pêcheurs ? Pourquoi n'installait-il pas un camp militaire dans la savane ? De là, il pourrait attaquer les convois d'esclaves. Il aurait les Français contre lui ? Soit. Mais depuis longtemps, les hommes de Louis XIV ne lui faisaient plus confiance.

Pourtant, il n'agissait pas. Que se passait-il ? N'était-il pas un honnête homme ?

Il trouva la parade avant de s'endormir. La vie n'était pas une tragédie de Racine. C'était la raison principale de son renoncement. Il ne s'était jamais comporté en brave. Pourquoi commencer aujourd'hui ?

Hein ?

« *Why ?* » dirait d'Amon.

Son sommeil, cette nuit-là, exprima d'autres sentiments. Comme un rappel à l'ordre, il retrouva en rêve la partie de chasse au loup qui s'était déroulée à Versailles. Sous les traits cruels de Zabel, l'homme aux mille loups, un type à la peau noire dirigeait une meute de chasseurs. « Tous les coups sont permis contre les esclaves », affirmait l'un. « Et plus encore si c'est une femelle ou un enfant. J'ai, dans mes sacoches, des viandes truffées d'hameçons. Si je l'approche, je lui balancerai ça dans les mâchoires », se vantait l'autre.

Il s'éveilla en criant. Il s'épongea le front et fit un effort démesuré pour chasser ces images de son esprit. Il se rendormit. Instantanément, il replongea dans son cauchemar.

Exactement comme dans la réalité, il assistait à la prise du gibier par les chasseurs. Sauf que la louve était un enfant. Les yeux du petit homme, baignés de larmes et de tristesse, l'imploraient en demandant grâce. Bien sûr, il se dressait contre les traqueurs. De ses mains, de ses ongles, il les attaquait furieusement. Il avait beau frapper, les braconniers riaient, insensibles à ses armes. Il reçut un coup de couteau dans l'aine qui le figea au sol. Il se redressa de sa couche et cria comme un dément.

On se levait tôt en Assinie, bien plus tôt qu'à Paris. Anabia, qui avait l'habitude de traîner au lit, fut surpris par l'animation qui régnait à Soco avant même que le soleil ne se fût hissé sur la brousse.

L'odeur rêche des feux l'incommoda au point qu'il franchit en courant la distance qui le séparait du fort. Il se baigna dans la mer puis, les idées bien en place, alla réveiller le père Godefroy Loyer.

Anabia trouva le révérend père dans la chapelle, occupé à l'office des matines. En communion avec le saint homme, il pria longuement.

Loyer pâlit en découvrant son visiteur. Tibierge l'avait informé des positions radicales du prince ; il pressentait sa requête.

— J'ai réfléchi, mon père, et je vous prie de pardonner ma franchise. Rome vous a confié une mission. Vous trahissez Innocent XII, et Dieu avec lui, en abandonnant les esclaves à leur sort.

— Mais qui vous dit que je les abandonne ? coupa Loyer en dissimulant son trouble.

— Vous renoncez à les convertir, voilà ce que je vois. N'était-ce pas la mission du préfet apostolique de la Guinée en Afrique ?

— Ce n'est pas si simple, Anabia. Je vais prier pour eux. Pas un instant je ne les abandonnerai en prière.

— Mais pourquoi ne pas vous opposer aux négriers ? Allez les convaincre, ils changeront d'avis.

— Non, Anabia, non, c'est impossible. Je vais prier pour qu'un autre que moi, aux Amériques, leur porte secours.

— Cela va de soi, ironisa Anabia.

Un tremblement parcourut le visage de Loyer. Anabia se rendit compte qu'il avait l'air plus fatigué que d'habitude. Plus distant, aussi. Une mimique de tendresse se dessina sur ses lèvres à l'apparition d'un chimpanzé.

— Je ne vous ai pas présenté Gaston. Il ne lui manque que la parole, souffla Loyer, visiblement heureux de changer de conversation.

— Il paraît très sociable, babilla Anabia.

— Il s'est attaché à moi. Il se promène sans cesse à mes côtés, très gravement, en tenant mon pantalon par la main, pour se maintenir dans la position verticale. Il ne marche pas comme les singes en ouvrant la main de devant, mais en s'appuyant sur le dos de la main et refermant les doigts.

— Vraiment ? fit mine de s'intéresser Anabia.

— Eh oui, mon ami. Et c'est une chance. Car les gamins promis par Akassiny se font rares. Vous savez, j'ai appris à Gaston à porter les bougies et l'encens. Il s'acquitte parfaitement des exercices habituellement réservés aux enfants de chœur.

Escorté par la seule âme qu'il avait convertie, Loyer quitta la chapelle en marchant comme un crabe. Cette vision pathétique fit renifler Anabia. Il aurait aimé avoir le talent d'un Nicolas Poussin pour représenter cette déchéance des Français d'Assinie. Dans ce tableau imaginaire, il se voyait bien comme le bouffon.

Chapitre XIII

L'attaque du fort Saint-Louis

DRÔLE DE PERSONNAGE QUE GEOFFROY STAQUET, très jeune commandant du fort Saint-Louis. Sa ville, Saint-Malo, la fréquentation de ses camarades d'enfance, sa manière de paraître, longs cheveux au vent, son franc-parler, toutes ces dispositions auraient dû faire de lui un pirate sans foi ni loi. À la place, c'était un des éléments les plus brillants qu'Anabia eût observés dans l'armée française.

Orphelin de mère, Geoffroy Staquet avait grandi sous le regard égaré de son père. Membre reconnu de l'Académie royale de musique, l'homme avait été exclu du cercle à la mort de son directeur, Lully. Ruiné, incapable de régler sa chambre près du Palais-Royal, il avait retrouvé sa ville natale de Saint-Malo avec son fils. Geoffroy avait grandi en apprenant le hautbois. Déterminé à échapper aux récitals donnés chez les commerçants de la ville, il s'était engagé comme mousse dans la marine royale. Depuis dix années qu'il naviguait, jamais il n'avait quitté son instrument. Chaque soir, à terre, ou sur le pont d'un navire au milieu de l'Atlantique, il jouait pendant une heure. La mort de monsieur du Mesnil de Champigny l'avait bombardé à la tête des soldats français. Qu'un jeune homme pût, à la fois, être un musicien jouant comme personne les œuvres religieuses du compositeur Marc Antoine Charpentier et le gardien en chef d'enfants hurlant de terreur dans les cachots du fort était pour Anabia un mystère. À moins que Staquet ne fît que suivre son chemin. Comme les autres.

Après la messe du révérend père Godefroy Loyer, le gaillard s'installait à proximité des réduits où, depuis le départ des Nantais, s'entassaient les esclaves. Soir après soir, les notes tirées de son hautbois étaient plus déchirantes. La preuve de sa bonté ?

Une fois, Staquet eut l'idée de convier à son concert les meilleurs musiciens d'Akassiny. Côté français, on moqua les tambours fabriqués dans des troncs d'arbres creusés à même la masse et recouverts par une oreille d'éléphant. Les baguettes, de petits bâtons de bois en vérité, couverts de peau de chèvre, furent elles aussi raillées. Quant aux trompettes, forées dans des défenses d'éléphants, inutile de s'attarder. Pourtant, à la suite du hautbois, des sons clairs s'échappèrent des instruments africains. Finalement, les Français furent abasourdis par tant de délicatesse.

Lors d'un concert donné au soleil couchant, un soldat avertit l'assemblée d'une chose à peine croyable. Un vaisseau naviguait à toutes voiles dans le golfe d'Assinie. Avant l'obscurité, il mouilla à portée de canon du fort. Le cœur d'Anabia se serra. Non par crainte d'un ennemi possible. Il n'aimait plus cette nuit qui tombait comme un couperet sous les tropiques.

L'établissement passa la soirée en conjectures. Sous quel drapeau le navire bourlinguait-il ? anglais ? hollandais ? ou même français ? Anabia, bien que moins actif dans les affaires, expliqua que des Hollandais, depuis le fort de La Mine, avaient adressé des cadeaux à Akassiny. Le roi avait remercié, empoché l'or, les armes, l'eau-de-vie, et omis de prévenir ses alliés de la Compagnie de Guinée. L'apparition prenait sens, désormais. Après avoir tenté de retourner le souverain d'Assinie contre ses hôtes, les marins de Guillaume III, prince d'Orange, tentaient un débarquement.

Au matin, le navire salua de trois volées de canon. En réponse, Staquet mit le pavillon du fort en berne. C'était un signal pour obliger l'embarcation, si elle n'avait pas d'intentions belliqueuses, à larguer une chaloupe en mer et venir parlementer au bord de la côte. Midi figea la lagune dans l'immobilité. En foule, les habitants de Soco se présentaient au fort.

Accompagné d'une cinquantaine de soldats triés sur le volet, Niamkey apparut dans la cour du fort. Il jeta un regard froid sur la garnison française et demanda à voir Staquet au plus vite. Tibierge, qui passait par là, prit peur d'un seul coup. Les Assiniens étaient armés jusqu'aux dents. Ils arboraient chacun, sur une épaule, les mousquets distribués par d'Amon et, sur l'autre, les fusils offerts par les

Hollandais. Qu'adviendrait-il si Akassiny changeait d'avis et se rangeait aux côtés des ennemis de la France ? Un massacre. Sans l'ombre d'un doute.

Haletant, Staquet débarqua du magasin où étaient entreposées les munitions. Il avait inspecté la place avec douleur. Il ne restait plus que deux barils de poudre. Il serra dans ses bras Monsieur frère. Fanfaron, il masqua l'incertitude qui le gagnait :

— Cher ami, nous voilà proches de la bataille. Comme je suis heureux de combattre à vos côtés.

Niamkey se fit traduire les encouragements du Français, mais répliqua sur un ton moins amène :

— Le roi ne partage pas votre enthousiasme. Il vivait, jusqu'à aujourd'hui, avec l'espérance de voir mouiller en Assinie les navires de ravitaillement qui nous ont été promis. En place, voici l'ennemi. Vous nous demandez de mourir plutôt que de vous trahir. Vous trouvez cela raisonnable ?

— Est-ce Anabia qui vous a parlé ainsi ? s'inquiéta Staquet.

— Même pas. Non, il n'est pour rien dans notre position. Je viens de lui rendre visite. Il m'a dit qu'il voulait bien se battre, mais seulement si c'était nécessaire. Il s'en remet à vos ordres.

— Bien. Faites-le chercher. Mais je ne comprends pas, Niamkey, nous avons un traité…

— Un traité de coopération, certes, oui. Il est même prévu que vous nous portiez secours en cas d'agression. Or, c'est votre établissement que les Hollandais veulent réduire en cendres. Nous pouvons nous battre comme des lions pour vous protéger. Mais…

— Mais ?

— Je réclame un baril d'eau-de-vie par soldat tué dans la défense du fort.

À l'appétit de Niamkey répondit une détonation sourde, suivie d'un énorme trou dans la palissade du fort. Un éclat de bois se figea dans la cuisse de Tibierge, qui hurla de douleur. Staquet savait qu'il était trop tard pour parlementer. L'attaque était déclenchée. Il hurla à l'attention de Monsieur frère :

— Accordé, mais suivez mon plan. Notre garnison reste dans le fort en seconde ligne. Nous bombardons l'ennemi de nos canons tandis que vous placez vos soldats sur la plage. À eux d'accueillir les Hollandais quand ils mettront pied à terre.

— Nous sommes assez téméraires pour leur faire bouffer le sable, vociféra Niamkey. Et vous verrez comme nous serons dignes de votre estime.

Une clameur générale salua l'énoncé du dispositif. Elle redoubla quand Staquet ordonna à son intendant de distribuer généreusement de l'eau-de-vie à tous les combattants.

Lorsque d'autres boulets s'abattirent sur la plage, un canon français lâcha son premier coup. Un coup habile. Le gaillard du vaisseau ennemi fut percé de part en part.

Indiscutablement, le début de la bagarre profitait aux Français. En veine avec leur artillerie, ils fracassèrent une partie des manœuvres du vaisseau de l'adversaire, entaillèrent le grand mât de l'amiral et percèrent l'entre-deux ponts. Staquet bondissait de joie sans crainte des boulets à deux têtes qui, par la grâce de Dieu, ne faisaient pas trop de mal au fort en bois. À court de poudre, il ordonna le cessez-le-feu. L'ennemi en profita pour déverser sur la plage un déluge de fer et de plomb d'une vitesse et d'une vigueur incroyables.

L'averse se poursuivit pendant près de six heures. En retrait du fort, embusqués dans un petit bois près du rivage, les habitants du royaume, de plus en plus nombreux et de plus en plus hilares, assistaient au pilonnage. Anabia, mousquet en bandoulière, figurait au premier rang des spectateurs. Les Bantas n'étaient pas conviés aux réjouissances. Le bataillon d'Akassiny était formé uniquement de Namos.

Il était communément admis que l'odeur de la poudre et le bruit des armes flattaient les hormones des soldats. La testostérone d'Anabia se portait bien, merci, il venait de batifoler longuement avec sa maîtresse. Fallait-il vraiment y aller ? se demandait-il. Non qu'il craignît pour sa vie. Se battre avait été son quotidien pendant des années. Ce qui lui échappait, c'était le sens de la bagarre. Castagner pour qui, mon Dieu ? Pour Akassiny, ce chien qui traquait la chair fraîche ? Pour la Compagnie de Guinée, ce précepteur qui s'était transformé en négrier ? Plutôt retourner baiser, oui.

Un doute s'insinua en lui. Il restait fidèle au Roi-Soleil. Pour lui, oui, il avait le devoir de se battre.

Des hurlements provenant du fort brisèrent sa réflexion. Les uns après les autres, les soldats français quittaient l'enceinte en grand désordre. Après une course d'une bonne centaine de mètres, ils se regroupèrent sous les plis d'une petite dune. L'ennemi, interloqué par ce mouvement, cessa le bombardement. Anabia en profita pour rejoindre les hommes de Staquet. Celui-ci l'accueillit d'un air martial. Des pierres roulaient dans sa gorge :

— Tiens, vous voilà, Anabia. Nous allions vous réclamer. Il n'était pas question de se passer de votre expérience.

— Servir Sa Majesté a toujours été mon plus vif plaisir. Je suis à vos ordres, commandant. Mais que s'est-il passé ?

— Il y avait une ruche près de la chapelle du fort qu'un boulet de canon a renversée. Les abeilles, se sentant délogées, se sont jetées furieusement sur nous tous, nous obligeant à quitter notre refuge.

Anabia masqua un soupir moqueur. Tout miel, il interrogeait l'apiculteur du fort quand un cri d'affolement parcourut la troupe. Croyant que la place était abandonnée, l'envahisseur envoyait six canots à la mer. Une cinquantaine de soldats prenaient place à bord.

Niamkey rejoignit Staquet et fit traduire :

— Surtout, ne bougez pas. Surtout, ne tirez pas. Vous risqueriez de toucher mes hommes, murmura calmement le frère du roi.

— Je vous comprends, répondit Staquet qui se faisait souffler la direction des opérations militaires.

L'ennemi franchit sans encombre la barre. Niamkey tonna comme un dément :

— Nous allons nous cacher à la place où ils vont débarquer, et puis les massacrer à leur descente. Vous verrez quel amour nous avons pour les Français.

Niamkey serpenta dans le sable et prit position. Dès lors, tout s'enchaîna très vite. À la tête des cinquante têtes blondes qui prenaient position sur la terre ferme, un officier assura calmement : « *Er is niemand.* » (« Il n'y a personne », en néerlandais.)

Hilares, persuadés que les Français avaient détalé comme des lapins, les soldats de Guillaume se relâchèrent. Niamkey en profita pour fondre sur eux avec une telle rapidité que les malheureux n'eurent même pas le temps de se saisir de leurs armes. En quelques minutes, les soldats d'Akassiny coupèrent les têtes, les pieds et les mains de tous ceux qu'ils approchaient.

Au cœur de la boucherie, Niamkey se rappela qu'il pouvait être intéressant de se constituer un trésor de guerre. En l'espèce, des prisonniers. Il épargna deux Hollandais et renonça à en suivre neuf autres qui se sauvaient à toutes jambes en direction du fort pour se barricader.

À la longue-vue, le commandant du navire hollandais contempla la joie des soldats namos qui dansaient autour des cadavres mis en pièces. Écœuré, il leva l'ancre pour se mettre au large. Chagrin d'avoir perdu toute l'élite de ses troupes, il appareilla le lendemain.

On fit les comptes au crépuscule. Les Français, qui n'avaient pas combattu, ne déploraient que la jambe blessée de Tibierge. L'heureux homme s'en tira sans gangrène. Niamkey voulut gonfler ses pertes, mais Staquet, pas fou, avait lui-même constaté le décès de trois Namos.

Les semaines qui suivirent furent occupées en tractations pour fixer la rançon des onze prisonniers hollandais. Staquet voulait se débarrasser au plus vite des soldats réfugiés au fort. Les vivres manquaient. La présence des otages constituait un véritable fardeau. Au nom du gouverneur de La Mine, des ambassadeurs négocièrent leur libération. Ils s'adressèrent directement à Akassiny, qui se présenta comme le maître et l'arbitre de la paix. Finalement, il empocha la rançon.

Les Français n'eurent pas la force de lui disputer le magot livré en échange des captifs. Ce renoncement (après tout, les Hollandais s'étaient réfugiés dans leur fort) trahissait leur désarroi bien plus fortement encore que leurs joues creuses et leurs yeux cernés en toutes circonstances. Il n'y avait plus rien dans les réserves du fort. Ils vivaient en guenilles à force de troquer leurs vêtements contre de la nourriture. Maintenant, Niamkey rigolait quand il demandait des nouvelles des vaisseaux de la Compagnie de Guinée.

Le sentiment d'abandon redoubla avec l'apparition, au fort, de la reine du royaume de Guyomray, situé à l'est d'Assinie. Escortée de dix femmes, Afamouchou, c'était son nom, se présenta en amie des Français. Staquet fut subjugué par le port martial de cette amazone. Héritière du trône à la mort de son frère, elle combattait en personne et dressait seule ses armées. Anabia, amusé, et pas loin de la vénération lui aussi, traduisit :

— Quand verrons-nous vos vaisseaux ? Viendront-ils un jour ? Le chevalier d'Amon m'a promis qu'il allait bâtir un fort chez nous à son retour.

Anabia haussa les épaules. Quelle absurde contagion ! La Compagnie de Guinée n'était même pas capable d'entretenir le comptoir d'Assinie, mais elle se permettait d'allumer de nouvelles espérances.

— Nous les attendons dans les prochains jours, rougit Staquet.

— Si vous étiez gens de parole comme vous êtes gens de bien, toutes les côtes d'Afrique seraient sous votre puissance. Mais, hélas ! vous promettez tout et vous ne tenez rien. Ce qui éloigne bien des peuples de l'affection naturelle que nous vous portons.

— Il se passe quelque chose en France, sans doute, justifia Staquet, empourpré du crâne jusqu'au cou.

— J'attendrai encore un peu le retour de d'Amon. Quelque temps. Avant de me livrer aux Hollandais qui me poursuivent pour avoir la liberté de bâtir un fort sur mes terres.

Staquet était terriblement fatigué. Que voulait-elle dire en parlant « d'affection naturelle » ? Et pourquoi avait-elle pris soin de préciser qu'elle entendait se « livrer » aux Hollandais ?

Anabia multiplia l'excitation du jeune commandant en lui apprenant que les amazones avaient fondé une société aux mœurs libres, d'où les hommes étaient sévèrement proscrits. Les femmes, vouées au célibat, avaient réduit le sexe « fort » à vivre dans des dépendances entourées de hauts murs en paille. Cependant, la confrérie devait se renouveler sous peine de périr. N'est-ce pas la loi qui régit ici-bas toute chose ? acheva Anabia en clignant d'un œil.

La reine, fatiguée par son voyage, remit au lendemain son retour sur ses terres. À proximité du fort, elle établit un campement pour la nuit. Après s'être restaurée, elle manda Staquet. Il accourut en tremblant. Et réapparut le lendemain en sifflant.

Chapitre XIV

Naissance des fantômes

ANABIA N'ÉTAIT PAS D'HUMEUR À SIFFLER, CE MATIN-LÀ.

Il s'était réveillé avec une idée en tête, comme si son cerveau y avait travaillé toute la nuit. L'enquête sur l'assassinat n'avait rien donné. Il avait interrogé tout Soco. Personne n'avait rien vu ni rien entendu. Ses soupçons s'étaient portés sur l'entourage de Niamkey. Le crime profitait indiscutablement à des marchands qui reprenaient le contrôle des commerces dirigés par Shanga. Aucune preuve n'était venue étayer ses doutes. Il lui fallait reconnaître qu'il faisait fausse route.

Il avait vainement interrogé Joubert, l'ami de Shanga, le seul qui se taisait et qui, peut-être, avait vu quelque chose. En plein sommeil, repensant aux yeux débiles qui s'étaient écarquillés devant lui, le projet s'était formé dans son esprit. Le couteau du sang pendait toujours à sa ceinture. Le criminel avait brouillé trop de pistes. Le monde des vivants ne pouvait plus l'instruire.

Il devait entrer en contact avec les ancêtres.

Il sacrifia plusieurs journées en préparatifs. Quand il s'estima suffisamment paré de fétiches et d'herbes magiques, il invita Joubert dans la maison de Shanga. Il ne souhaitait pas d'autre témoin à sa cérémonie. Il refusait de s'en remettre au prêtre fétichiste. Il ne voulait pas courir le risque d'un mensonge si, d'aventure, un proche de la famille royale était mêlé au crime.

Il fit comme si Joubert le comprenait. Il lui expliqua qu'ils allaient tous les deux s'en remettre à la magie pour identifier l'assassin de Shanga. Joubert émit un couinement en secouant la tête. Il fit un effort démesuré pour sourire. Il acceptait.

Anabia prit les mains de son complice et lui demanda de l'imiter. Ils allaient se droguer, danser à en perdre la tête et entrer en contact avec les esprits. L'âme d'un ancêtre, ou toute autre déité de sa connaissance (des milliers d'entre elles reliaient le monde visible à l'invisible), avait vu le meurtrier accomplir son crime. C'était le plan. On partait en transe, on désertait le monde des vivants et l'on apprenait d'un esprit le nom de l'assassin. Chicots découverts, Joubert approuva.

L'aventure commença par une veillée silencieuse. Après deux jours et deux nuits de jeûne, Anabia s'attela à la confection d'un autel. Débarrassé de son pantalon, les hanches ceintes d'un pagne, le torse nu, il y plaça son fétiche, diverses statues et grigris récupérés sur des tombes. Joubert, dont la quasi-nudité était l'état naturel, se chargea des masques.

Enfant, la trouille au ventre, Anabia avait assisté aux rituels « du retour ». Les esprits qui habitaient l'autre monde étaient rappelés sur terre pour rétablir l'équilibre cosmique menacé par les querelles des hommes. Dotés d'un immense savoir et d'une très grande puissance, les ancêtres étaient aussi utiles que dangereux. Après la cérémonie, il était impératif qu'ils retournent dans l'invisibilité. S'ils s'attardaient au village, ils attiraient le malheur sur la communauté. Cela s'était déjà produit. Que se passerait-il si Anabia ne délogeait pas de son corps l'esprit qui allait le visiter ? Serait-il temps d'implorer Jésus-Christ, notre sauveur ? Autant croire aux contes de fées.

Cette idée de jouer sur les deux tableaux, néanmoins, l'amusa. Le cœur léger, il alluma un feu. Il déclara la cérémonie ouverte en aspergeant l'autel de vin de palme afin de réveiller les pouvoirs des fétiches. Joubert, qui le suivait comme son ombre, lui tendit un poulet dégoulinant, lui aussi, de vin de palme. Anabia trancha le cou de la volaille et répandit son sang sur l'autel. Ce faisant, il prononça le nom de Shanga en demandant qui l'avait tué.

À présent, l'exercice se compliquait. Il n'y avait pas de tambours dans la pièce et, cependant, les deux hommes voulaient danser. Anabia s'aspergea le visage d'une potion d'herbe, but un peu du breuvage et se poudra le corps d'une farine de maïs. Joubert l'imita.

Les deux hommes se figèrent. Comment gigoter sans rythme ? Anabia trouva. Du plus profond de sa poitrine, gonflant les joues, il émit un son de tam-tam. « Boum-pschitt-boum-pschitt », faisaient les sourdes pulsations qui s'échappaient de ses lèvres.

Joubert commença à tourbillonner sur lui-même. Anabia, psalmodiant, le suivit joyeusement. L'effet de la potion se faisait sentir. L'un et l'autre plongeaient dans un état second qui les rendait inconscient de leur corps et de leurs gestes.

Anabia sentit en lui une protection, quelque chose de chaud qui lui commanda de s'agenouiller devant le feu. Il plongea un couteau dans les braises et posa la lame chauffée à blanc sur sa langue. Il ne ressentit aucune douleur. Au même moment, Joubert, obéissant à une autre force, tailla ses avant-bras et son ventre avec du verre brisé. Il ne saigna pas. C'était le signe que l'esprit le protégeait.

Déchaînés, les deux hommes dansèrent en se disputant la tête du poulet sacrifié qui pendait d'une bouche à l'autre. Le manège fut suivi d'une ronde. Main dans la main, ils bondirent, sautèrent, tournèrent de plus en plus vite. À bout de forces, les deux compères furent pris de tremblements dans tout le corps. Les yeux roulèrent dans leurs orbites, les pupilles disparurent, ne laissant voir que le blanc.

Un poids énorme comprima les têtes. Anabia et Shanga trébuchèrent sous le fardeau invisible. Muscles bandés, yeux révulsés, ils s'effondrèrent à terre, totalement à l'abandon. Anabia connut alors la sensation de bonheur la plus vive qu'il eût jamais goûtée. Son esprit chavirait dans un autre monde.

Il se voyait courir dans ce qui ressemblait à un couloir large d'un mètre. Sans la toucher, il passa à côté d'une créature hybride qui présentait les caractéristiques à la fois d'un homme, d'un animal de brousse et d'un squelette. Devant lui, une voix familière cria son nom. Il s'affala sur un sol mou tandis qu'il luttait pour rejoindre la silhouette. Il se releva, la figure semblait reculer à chaque pas, mais il continua à courir. Il fit un bond en avant, quelque chose d'impossible pour un homme *vivant*, et il découvrit la forme qui l'appelait. Il s'attendait à tout, à *voir*, peut-être, son père, ou le roi Zuma, ou Shanga, pourquoi pas ? Mais pas ça. Pas lui. Le fœtus réchappé des truites, avec sa tête démesurée, lui souriait.

Anabia tendit le bras pour toucher l'avorton. Un poing invisible se plaqua sur son torse et le repoussa de plusieurs mètres. La main le rejoignit, franchit sa poitrine et serra son cœur. Des visages en transparence, mais suffisamment précis pour qu'il les reconnût, valsaient dans la lumière. Parmi les silhouettes de soldats de Louis XIV morts sur les champs de bataille, la figure de Shanga ondula dans les airs. Pris de nausée et de vertige, Anabia se retrouva seul. Le fœtus avait disparu. Il avança encore dans le couloir et s'arrêta à une ouverture. Il était au flanc d'une montagne.

En bas s'étalait une vallée désertique incendiée de couleurs ardentes. Le violet et l'orange dominaient. Il n'y avait aucune notion de distance. Il suffisait de porter l'œil à un point donné pour que les perspectives, mouvantes, s'agrandissent. Exactement comme dans une longue-vue. Anabia s'attarda sur les créatures qui grouillaient entre les rochers. Corps d'écailles, figures d'apparence humaine, elles se métamorphosaient continuellement du reptile à l'homme. Elles variaient de taille, également. Anabia poussa un hurlement quand l'une d'entre elles le piqua à la main.

Les fourmillements qui s'emparèrent de lui s'amplifièrent à la limite du supportable. La pointe d'un poignard gambadait sur tout son corps. Il passa les mains sur son visage froissé de douleur et ferma les yeux un long moment. Il les rouvrit sur une scène qui certifiait sa réussite. Devant lui, comme au théâtre, se jouait l'assassinat de Shanga. Quelqu'un lui tapa l'épaule : Joubert l'avait rejoint.

Les deux hommes voyaient très clairement leur ami accueillir un homme au visage masqué par une très large capuche. Ses bras, pris dans une tunique, ses mains, gantées, ne permettaient pas de savoir s'il était blanc ou noir. Il n'y avait rien à entendre, mais on comprenait que les deux hommes se saluaient avec courtoisie.

Shanga invita son hôte à prendre place à sa table. Assis, ils trinquèrent devant une carafe d'eau-de-vie. La séquence s'accéléra quand l'homme à la capuche leva la main. D'un geste rugueux, il frictionna la joue de son vis-à-vis. Surpris, Shanga recula avec une grimace de dégoût. L'autre se dressa. Aussitôt, il souleva d'une main le pagne du jeune homme tout en essayant de forcer de sa langue ses lèvres closes. Shanga se dégagea le plus violemment qu'il pût, mais pas assez loin pour ne pas subir un nouvel assaut. On pouvait lire sur les mouvements de sa bouche des supplications : « Partez, partez ! », mais pas la moindre menace, comme si trop de déférence clouait la victime à son bourreau.

Aux mouvements de son corps, Anabia devinait que l'inconnu riait. Un poignard jaillit d'une gaine fixée à sa ceinture. Il l'agita devant le ventre, puis le visage de Shanga. Celui-ci comprit enfin qu'il n'avait plus d'autre choix que de combattre pour s'échapper. La bouteille d'eau-de-vie lui servit d'arme. Il frappa, mais son ennemi effectua un pas de côté. En retour, il reçut un coup de lame au-dessus de la carotide et s'effondra.

Anabia croyait avoir tout vu. Malheureusement la représentation n'était pas terminée. L'ombre retourna le cadavre, le déposa sur un siège, le déshabilla et le viola. Le sang qui coulait en abondance de la blessure se répandait jusqu'aux cheveux du criminel. À ce stade, la séquence disparut du regard d'Anabia et de Joubert. Ils firent demi-tour.

Plongés dans le noir, ils avancèrent à l'aveuglette, laissant courir leurs mains sur le mur. Ils ouvrirent enfin une porte sur la silhouette du fœtus baigné de lumière.

— Qui était-ce ? Qui était l'homme sous la capuche ? supplia Anabia.

— D'Amon, le chevalier d'Amon, répondit la forme dans un français impeccable. Écris-le, écris d'Amon, quelque part.

Sans souvenir précis, et sans autre sensation qu'un effroyable mal de crâne, Anabia reprit connaissance dans la maison de Shanga. Devant Joubert qui gisait inconscient sur le sol, il cacha son visage sous un masque posé près de l'autel. De loin, il figurait une antilope. C'était en fait une représentation de plusieurs animaux, décorée de plumes, de piquants de porc-épic, bordée par des défenses de phacochère et des crocs de prédateur. En gestes lents et élégants, Anabia dansa pour éloigner les ancêtres qui l'avaient visité. Ses bras formèrent des mouvements des sarabandes jouées à Versailles. Il se sentit soudain dépossédé, libéré d'un poids et, soudain, le fœtus s'imposa à son esprit. Il scanda : « Pars, fœtus, pars, fœtus. »

Terrorisé, incapable de faire la part entre le rêve et la réalité, Anabia regarda sa main. Une petite cicatrice en forme de cratère révélait l'endroit où la créature l'avait piqué. Cette vision suffit à le ramener à sa transe. Il se vit en pleine errance, du couloir à la vallée désertique. L'aventure qu'il venait de vivre était difficile à admettre. Et pourtant, il l'éprouvait de tout son être.

Un nom, calligraphié au sol avec du bois calciné, balaya ses derniers doutes. D'Amon. Le violeur. L'assassin. Il se recroquevilla sur lui-même et se mit à pleurer.

Joubert reprit connaissance un peu plus tard. Immédiatement, Anabia l'interrogea :

— Alors, qui ?

— D'Amon, d'Amon, baragouina le brave type mangé de tics.

Anabia n'avait aucune idée du temps écoulé depuis qu'il s'était enfermé avec Joubert. Sur l'âme de Shanga, sa sœur avait juré qu'elle ne laisserait entrer personne pendant la cérémonie. Elle lui confirma qu'ils n'avaient pas été dérangés. Elle-même s'était tenue à l'écart.

C'était la nuit, l'heure du repas. La lune était pleine. Au loin, la rivière irisait ses reflets d'argent. Cette splendeur lui donnait envie de vomir.

Il voyait le mal partout. Les cases puaient le poisson pourri. Les poules, les chèvres étaient difformes à faire peur, les enfants morveux. L'ordre des choses (il avait débarqué en murmurant : « C'est le paradis ») était brisé par la folie de d'Amon. Tout le désordre venait de là. Il fallait retourner en France pour le tuer, vite. On pourrait alors, et seulement alors, parler de tranquillité.

Des clameurs fusaient du fort Saint-Louis. La sentinelle voyait juste. Un point, observé au loin, se métamorphosait en navire qui se dirigeait sur les côtes et s'apprêtait à ancrer dans la baie d'Assinie.

Depuis la visite des négriers, aucun vaisseau de la Compagnie de Guinée ne s'était porté au secours de l'établissement. Sans vivres, sans munitions, sans marchandises, les trente hommes vivaient sous la coupe d'Akassiny. Au reste, c'était risible. Les magasins du fort regorgeaient d'or, le rêve était devenu réalité, et les Français, véritables mendiants, dépendaient de leur hôte pour tout, y compris les provisions d'eau. Versailles les avait oubliés, c'était une certitude. Mais ils ignoraient pourquoi.

Le commandant du *Cuito*, enseigne portugaise qui accomplissait sa traite sur la Côte d'Or, fournit à la petite colonie de précieux mobiles. Non, le courroux de Louis XIV ne s'était pas subitement porté contre Assinie. C'était déjà ça. Simplement, le Roi-Soleil avait mieux à faire que de ravitailler ses naufragés d'Afrique. De nouveau, il défendait la France contre l'Europe coalisée.

D'un bel accent, et avec une précision piochée dans les gazettes, Emmanuel Da Silva rapporta les derniers événements. La guerre était déclarée. La coalition, formée à l'origine par les troupes de l'Angleterre, des Provinces-Unies et de l'empereur, s'était enrichie du Danemark et de la Prusse, pour ne citer que les régiments les plus notables. Sans parler des combats, l'alliance avec l'Espagne avait déjà terriblement coûté au royaume de France. Villes et campagnes se saignaient à blanc pour équiper et nourrir les deux cent mille soldats.

La bataille s'était engagée sur le sol étranger. La plus coûteuse en hommes, mais la plus amusante aussi, s'était déroulée à Crémone, citadelle sise en Italie, dans les frimas de février. Les Français campaient dans la ville, à bonne distance des armées du prince Eugène, jugées inoffensives. François de Neufville, duc de Villeroy, commandait les armées en lieu et place de Catinat. Bien à l'abri derrière les remparts, ses troupes ne risquaient rien. En apparence. Sauf à croire aux fantômes et à leur faculté de passer à travers les murailles. Le duc lui-même en serait d'ailleurs bientôt réduit à se convaincre de ce prodige. En effet, il ignorait l'existence d'un édifice moyenâgeux, ancien aqueduc, qui étendait ses fondations au loin dans la campagne et s'achevait en galerie dans la cave d'un prêtre. Villeroy aurait dû mieux s'informer : la ville avait déjà été prise par cette voie. Sans difficulté, le prêtre fut gagné à la cause des Autrichiens. Un matin, des soldats déguisés en paysans et en moines envahirent la cave. Ils ouvrirent les portes de la ville comme dans un conte pour enfants. Villeroy, alerté par les cris de joie, se précipita sur la grande place, où on l'arrêta comme un vulgaire renard. Présenté au prince Eugène, il fut immédiatement jeté en prison. La bataille fit rage le reste du jour. Finalement, les Français chassèrent l'ennemi de la ville, mais Villeroy resta captif.

Par bonheur pour Louis XIV, d'autres maréchaux relevaient le niveau. Vendôme, le vicieux Vendôme, le général à la saleté repoussante, avait rétabli la situation en Italie et chassé le prince Eugène de Luzzara. Ducasse lui-même faisait des étincelles. Lisbonne, révélait Da Silva, s'était puissamment émerveillée de la manière dont son escadre avait repoussé une attaque anglaise contre Carthagène. Tel était le bilan de la première guerre entre la France et l'Europe coalisée. Villeroy croupissait dans sa geôle mais, sur le terrain, un enchaînement de victoires équilibrait une suite de défaites.

Emmanuel Da Silva ne souhaitait pas s'attarder sur les terres d'Assinie. Il échangea du ravitaillement contre de l'or, beaucoup d'or, et réclama une cinquantaine d'esclaves pour remplir ses cales.

Il n'y avait plus un seul captif dans le fort. On avait confié ces bouches à nourrir à Akassiny. Celui-ci, toujours vert, les refourgua sans que les Français n'en tirent aucun bénéfice. Personne ne s'offusqua de cette entorse au traité signé entre l'Assinie et la Compagnie de Guinée. Une seule question tourmentait les cerveaux malingres. Qui embarquerait sur *le Cuito* pour réclamer des secours ?

La frégate ne pouvait supporter la charge de trente hommes. Staquet jeta un regard circulaire sur ses hommes. Tiré d'affaire, lequel aurait l'obstination de courir entre Versailles et Paris pour sauver ses compagnons ? Pas un. À coup sûr, la paresse clouerait l'heureux élu en Amérique. Seul Godefroy Loyer aurait cette grandeur d'âme. Staquet le supplia de lâcher sa mission religieuse et de songer à ses compatriotes. Il accepta à la seule condition d'emporter son singe. Da Silva accéda au caprice et fixa l'appareillage au lendemain.

Il restait très peu de temps à Anabia pour agir. Le départ des Portugais était une chance inespérée pour regagner l'Europe et régler son compte au chevalier d'Amon. Il trouverait plus tard le moyen de revenir en Assinie. Cette question n'était pas à l'ordre du jour. Se venger d'un homme qui l'avait trahi et manipulé depuis quinze ans était la seule visée. Et Marguerite ? Oui, il y avait Marguerite. En plus.

Loyer était le seul complice à qui il pût demander de favoriser son embarquement à bord du *Cuito*. Tout lui révéler ? Peut-être comprendrait-il. La prière lancée autrefois à Groix avait eu des accents terriblement sauvages. Au contact de sa terre celtique, n'était-il pas apparu plus druide que dominicain ? En deux mots, hérétique à Rome ?

Cette confession était un pari risqué. Il y avait des limites, tout de même. Établir un contact avec les ancêtres réfutait la notion de paradis ou d'enfer. C'était aller vite en besogne. Loyer protégerait son prochain. D'Amon, en l'occurrence. Pour un peu, Anabia passerait pour un sorcier, alors que ce n'était pas ça, pas du tout. Il ne réitérerait cette expérience pour rien au monde. Tout compte fait, la raison commandait de manipuler Loyer.

Déterminé à mentir, Anabia lui rendit visite dans la chapelle du fort. Il confesserait son péché à un autre, plus tard.

Le révérend père mettait la dernière main à un lexique destiné aux voyageurs du nouveau siècle qui, on pouvait le rêver, débarqueraient un jour en Assinie. Il se relisait à voix haute : « Bonjour, mon ami : *Afou mihottou.* Travaille, tu seras content de moi : *Ouazou anomo lé démé.* J'ai de belles marchandises : *Acbandafié.* Je ne veux que de bons Nègres : *Digué meraquebo.* Je voudrais bien parler au roi : *Digué nadoco coffou.* Ce Nègre est trop cher : *memiton ve.* C'est trop : *abiafoufou.* Je ne veux donner que trois barriques d'eau-de-vie : *nana se banton.* Deux barils de poudre : *soutou baoué.* Fais-moi venir un hamac : *diavonepo loeponam.* Apporte-moi de l'eau : *sofi ou anam.* » Et « merci » ? Diable, il ne savait pas.

Anabia toussota pour signaler sa présence. Loyer, surpris, referma son cahier.

— Je dois vous confier mon trouble, commença Anabia.

— Je vous écoute, mon fils.

— Mon père, les croyances idolâtres m'ont fait vaciller, dit le prince, tissant les fils de son piège. Mon âme était déchirée. Elle était prête à basculer de l'autre côté, mais une voix m'a commandé de retourner à Notre-Dame pour prier. Exactement comme la révélation qui m'avait pénétré avant mon baptême.

— Nous avons su que vous êtes resté enfermé près de trois jours, interrompit Loyer.

— Oui, mon père, et j'ai bien failli me livrer aux fétiches. Je vous en conjure. Pour le salut de mon âme, je dois retourner en France.

— Mais comment ? Vous le voyez bien, la Compagnie de Guinée nous a abandonnés. Peut-être même qu'elle n'existe plus.

Cette idée laissa Anabia songeur. Morte dans ses couches, l'officine ? Après tant de bruit ? Il pensait plutôt qu'elle était ensommeillée et lança timidement :

— Avec vous, je veux partir avec vous.

— Mais c'est impossible.

— C'est possible. Et voici comment : cette nuit, je franchirai la barre à la nage et me cacherai sous un canot jusqu'au départ. J'irai vous retrouver dans votre cabine.

— Vous serez découvert, ce navire est un méchant rafiot, avec un petit équipage.

— C'est précisément mon plan, coupa Anabia. Les Portugais n'auront pas d'autre choix que de me jeter à la mer ou de m'écouter. J'achèterai mon voyage au prix fort. Je conserverai sur moi une pépite d'or bien replète. Elle ne sera au capitaine Da Silva que sur les quais de Lisbonne. S'il me menace, je la balance dans les fonds de l'océan. Une sorte d'obus pacifique, vous voyez...

— Vous oubliez qu'ils peuvent vous faire esclave...

— Da Silva jouera le jeu. Vous négligez la valeur de la pépite. Mille fois supérieure à la mienne.

— Soit, mais alors, que me demandez-vous ?

— Simplement, d'apparaître à mes côtés lorsque je sortirai de la cachette. Je vous demande de calmer Da Silva. De lui faire comprendre son intérêt. De certifier que je suis bien le filleul de Louis XIV. On ne balance pas à la mer le filleul du Roi-Soleil.

— Anabia, j'ai bien compris. Je vous tiens en estime. Mais pourquoi devrais-je vous venir en aide ?

— Pour le salut de mon âme. Pour que votre conscience ne porte pas le poids d'un échec à peine croyable. Louis le Grand m'a débarrassé des croyances idolâtres. Vous m'avez reconduit en chrétien dans ma capitale. Allez-vous vous sauver en m'abandonnant aux fétiches ?

— Vous me menacez ? s'enquit Loyer.

— Cette capitulation s'ajoutera à vos défaites… Qu'allez-vous dire à Rome, quand elle s'intéressera à l'Assinie et qu'elle demandera : « Loyer, au fait, combien de conversions ? » Ah ! il a bonne mine, le préfet apostolique des Missions de la Guinée en Afrique. Quel palmarès ! Il est vrai que j'oubliais Gaston…

— Cessez, par la grâce de Dieu.

— Mon peuple, je vous le jure, n'est pas rebelle à la lumière. C'est vous qui n'avez pas su ouvrir les yeux par les rayons de la vérité, et changer les cœurs par les grâces…

Anabia, préoccupé du visage livide de Loyer, n'acheva pas sa phrase. L'homme allait s'évanouir. Il était lui-même surpris par la violence de ses répliques. Jouer les maîtres chanteurs le répugnait. Mais pour aller au bout, il ne devait pas hésiter à fendre l'armure, quitte à s'égarer dans une composition malsaine. « L'enfant ne connaît pas le lion », disait un proverbe d'Assinie.

Les yeux mouillés, Godefroy Loyer murmura à l'intention d'Anabia :

— Je vous aiderai, soyez sans crainte. Mais vous n'aviez pas besoin de vous livrer à ce chantage. Maintenant, laissez-moi. À demain, sur le pont. Et bonne chance.

Fort avec les faibles, lâche avec les puissants, Anabia ne savait toujours pas bien se conduire. Le plus difficile, cette nuit-là, fut de ne rien dire à personne pour ne pas éveiller les soupçons, de disparaître sans avertir ni sa mère ni la sœur de Shanga. Franchir la barre et se glisser sur le pont du navire portugais furent un jeu d'enfant.

La Providence voulut que le plan d'Anabia se déroulât exactement comme il l'avait prévu. Après un petit moment de fureur, Emmanuel Da Silva reçut avec gourmandise la promesse de pépite du passager clandestin. La menace d'une réclusion dans les cales, proférée par le second du *Cuito,* avait sombré à l'apparition de Loyer. Le pouvoir enchanteur de l'or permit même au prince d'Assinie de dormir sous la couchette du dominicain, à même le sol, certes, mais, enfin, l'endroit était protégé.

Atteindre les côtes du Brésil depuis cette partie d'Afrique était aisé pour les navigateurs. Les vents étaient capricieux, mais les courants, à eux seuls, portaient les embarcations de l'autre côté de l'Atlantique. L'humeur générale était à l'insouciance. Chacun honorait sa charge en toute tranquillité. En contraste, rien ne détournait Anabia de son retour en France. Pas même le sort des esclaves attachés les uns aux autres par des bracelets de fer, liés par une chaîne à la carène du vaisseau et qui, bientôt, seraient vendus en place publique.

Accablé par la chaleur et la mauvaise nourriture, Godefroy Loyer parlait peu. Il ne se séparait jamais de son singe, de sa bible, lisait beaucoup et priait à tout moment. Anabia traînait nonchalamment sur le pont et évitait soigneusement sa compagnie. Il s'en voulait encore d'avoir bousculé cet homme qui avait lu l'Évangile comme un cri d'amour. Il craignait de lui porter une nouvelle attaque et de sortir les crocs.

— Dites-moi la vérité, Anabia, est-ce cette femme que vous voulez rejoindre ? lui demanda, au coucher, Loyer avec bonté.

— Non, mon père, ce n'est pas elle.

— Il y a donc autre chose ?

— Il n'y a rien d'autre que mon désir de prier à Notre-Dame, soupira Anabia.

— Vous avez changé depuis quelques semaines. Je ne vous reconnais plus. Mais cela suffit, dormons.

Anabia n'avait pas su fonder une amitié avec Loyer. C'était dommage, car le bonhomme en valait la peine. Au fond, il regrettait l'abandon dont il faisait preuve, jadis, à Versailles. Le périlleux retour en Assinie l'avait crispé et conduit à se méfier de tout. Cet isolement était non seulement dangereux, mais idiot. La tentation de la puissance l'avait isolé des hommes de qualité. Cela n'avait aucun sens.

À quelques journées de l'arrivée, Loyer subit une paralysie de tout le corps. Veillé par Anabia, il dormit deux jours d'affilée. Son état empira au troisième jour, au point qu'un Portugais, homme d'Église défroqué, lui donna l'extrême-onction. Da Silva se demanda s'il était convenable de jeter le cadavre d'un religieux à la mer. Les mouettes annonçaient la terre et l'on pouvait attendre pour lui chercher un lieu de sépulture. Repentant, Anabia jugea que le mourant était digne de la vérité. Les deux hommes étaient seuls quand il soulagea sa conscience :

— Père, je vous ai menti. Je vous assure de ma foi chrétienne, je ne reviendrai jamais là-dessus, mais c'est le crime impuni de Shanga qui me conduit en France. Œil pour œil…

— Je le savais, Anabia, pourquoi ne pas l'avoir dit plus tôt ? haleta Loyer. C'est ce monstre, d'Amon, que vous voulez rejoindre.

— Comment le savez-vous ? tressaillit Anabia.

— Le soir du meurtre, je l'ai vu débarbouiller son visage et brûler sa chemise pleine de sang.

— Et vous n'avez rien dit ?

— Hélas ! j'espérais qu'il y eût d'autres témoins. Ce n'est pas à un homme d'Église d'aider la justice des hommes. J'ai prié pour Shanga, j'ai prié pour vous… Non sans utilité, puisque vous avez retrouvé l'assassin.

Anabia était pétrifié. Tout se brouillait dans son esprit. C'était extraordinaire, car les religions elles-mêmes s'entremêlaient. Comme si Loyer avait appelé de ses prières le spectre du fœtus. Quel drôle de personnage que ce Loyer. Déterminé, en plus, à secourir son protégé jusqu'à Paris.

— Je ne vais pas poursuivre la traversée avec vous, s'anima Loyer. À Lisbonne, recommandez-vous de moi chez les dominicains. Ils sauront vous renvoyer à Paris.

Avant que le soleil disparût derrière l'horizon bleu marine, il y avait sous les tropiques un instant d'immobilité absolu qui figeait la brise et les vagues. L'aveu d'Anabia, accompagné d'une lumière orangée, s'était déployé dans cet instant d'éternité.

Une joie immense, un bien-être comme il n'en avait pas connu depuis des années envahirent le prince d'Assinie. Plus que son aide, Loyer lui offrait de croire en la loyauté des hommes, en l'espérance d'une honnêteté. Tant pis, comme l'alléguait le proverbe, si l'enfant ne connaissait pas le lion. Crédule, peut-être, mais heureux. De toute façon, c'était sa pente naturelle.

Les pluies de l'hiver austral s'abattaient sur la baie de Rio de Genèbre. De toute sa puissance, un orage rabotait les pentes de pitons abrupts. L'un d'eux perçait le ciel laiteux par sa taille. Les Portugais, découvreurs de l'endroit deux siècles plus tôt, avaient distingué une forme dans ce magma volcanique et l'avaient baptisée pain de sucre. À son approche, le vaisseau commandé par Emmanuel Da Silva brisa net son élan. Placé sous le vent, il gagna le mouillage en traquant les risées. L'équipage, heureux d'être à bon port, multiplia les manœuvres avec fougue. On évita quelques récifs, on replia les voiles les unes après les autres et l'on ancra presque à couple d'un autre navire portugais.

À la proue, Anabia jeta un regard amer sur le fouillis mêlé d'habitations, de jungle et de roches. Les criques lui tendaient les bras, mais il ne mettrait pas pied à terre. Inutile de s'exposer à la méfiance d'un consul de France ou d'un marchand quelconque. Loyer fut transporté le premier dans une chaloupe. À ses mâchoires crispées, à ses muscles tendus, il vit le corps du révérend père qui résistait au mal. Une écume moussait aux commissures de ses lèvres. Gaston, le singe, gambadait à ses côtés. Loyer prit congé d'Anabia en l'assurant qu'il se sentait déjà mieux, une mauvaise fièvre, une broutille pour un homme qui avait déjà terrassé la peste.

En quelques journées, le navire fut vide d'hommes. L'équipage s'encanaillait en ville. Le capitaine

Da Silva, monté aux mines voisines de Saint-Paul, négociait un chargement d'or. Chair humaine contre pépites, le ventre du *Cuito* avalait et vomissait sa marchandise sans discontinuer.

Anabia assistait au ballet sans éprouver d'autre besoin que de se décrasser à l'eau claire. Il profitait de chaque averse pour rincer son visage à la pluie. Les ondées dégageaient une odeur très désagréable, on eût dit qu'un corps faisandé était suspendu dans les airs. Pour chasser cette impression, il plongeait depuis le pont du navire. Il se baignait pendant une heure de la poupe à la proue, de la proue à la poupe, s'exerçant à nager de plus en plus vite pour s'assommer de fatigue et, la nuit venue, dormir comme un enfant.

Il appréciait cette solitude tant il jugeait brutale sa fuite d'Assinie. « J'aime l'ennui », répétait-il, peut-être pour se convaincre. En tout cas, sa vengeance mûrissait comme le fruit, âpre en mai et sucré, un mois plus tard, par le soleil de juin.

Avant d'appareiller, Da Silva l'avertit que Godefroy Loyer était sauvé. Il survivrait, Dieu en avait décidé ainsi. Alité pour un moment, il était incapable de supporter les fatigues de la mer. En guise d'adieu, il recommandait par lettre Anabia à ses frères de Lisbonne. En préambule, il appuyait sur son titre de préfet apostolique des Missions de la Guinée en Afrique pour sommer les dominicains d'habiller à l'européenne le prince d'Assinie, de le faire conduire en France et de lui laisser en pécule de quoi survivre quelques semaines.

Miracle, miracle ! le navire quitta le Brésil moins d'un mois après son arrivé. Il longea les côtes d'Amérique, fit halte dans les îles Caraïbes et, sans essuyer la moindre tempête, miracle, miracle ! atteignit Lisbonne après deux mois de navigation.

Tout en luttant contre un mal de terre tenace, Anabia constata que la guerre avait allumé ses feux partout en Europe.

Innovation majeure, le Portugal avait pris parti contre la France. À l'embouchure du Tage, les vagues de l'Atlantique ne léchaient plus les rivages de Louis le Grand. Alléchés par un traité qui promettait le dépeçage de l'Empire espagnol en sa faveur, les Portugais changeaient de camp. Il fallait apprendre à naviguer en mer hostile. L'espoir d'un navire à destination d'un port de France s'effondrait. Anabia devait gagner l'Espagne alliée par les campagnes portugaises.

Depuis l'Assinie, quittée quatre mois plus tôt, ce n'était plus une expédition, mais une *via dolorosa* où l'écoulement du temps figurait la croix. Incapable de situer les mois, Anabia errait dans un espace infini dont il ne pouvait dire qu'une chose : c'est le jour ou la nuit. Son exil maritime le privait d'un flux, comme si l'instant s'était figé en éternité, comme s'il était mort, en vrai. Il s'enquit de la saison. Octobre tiédissait sous un soleil crépusculaire.

Les nouvelles allaient vite sur les quais du port. C'était l'embrasement général. Louis XIV combattait aux Pays-Bas, sur le Danube, en Italie et en Castille. Gibraltar avait capitulé pendant l'été. En dépit d'une captivante bataille navale, le comte de Toulouse avait échoué dans sa reconquête. Et hop ! une porte supplémentaire claquait au nez de Versailles.

Au nord du continent, l'armée franco-bavaroise, légèrement en sous-nombre avec ses trente-cinq mille fantassins et ses dix-huit mille cavaliers, s'était frottée sur le Danube aux soixante-deux mille impériaux placés sous les ordres du prince Eugène et de John Churchill, duc de Marlborough. La bataille avait été un désastre, une piquette, une déroute, il n'y avait pas de mot pour ça. Louis le Grand avait perdu trente mille hommes, oui, trente mille soldats, tués, blessés, prisonniers ou déserteurs.

À Versailles, personne n'avait osé aviser le Soleil déclinant. Fallait-il évoquer les étendards, les canons, les équipages, tous restés aux mains de l'ennemi ? Madame de Maintenon s'y était frottée. La « reine », observant sur l'auguste visage une douleur d'une intensité folle, douta d'une résurrection possible. Bientôt, on en serait à défendre les bornes du royaume.

Anabia, sommairement vêtu par Emmanuel Da Silva, se présenta sans difficulté chez les dominicains. Les religieux suivirent les recommandations de Godefroy Loyer et ne mirent que quelques jours à lui fournir un passeport. Il était impensable qu'Anabia voyageât seul, aussi désignèrent-ils un domestique de leur presbytère pour l'accompagner. L'homme était très petit, une cinquantaine de centimètres de moins qu'Anabia, mais d'une beauté saisissante, naturelle.

Une forte pluie glaçait l'aube quand ils partirent à pied pour la Galice. Passant par Porto, franchissant la rivière de Minho, faisant halte à Compostelle où ils accomplirent leurs dévotions sur le tombeau de l'apôtre saint Jacques, ils atteignirent la Corogne dans le temps record de dix journées. Anabia chassait l'immobilité qui s'était incrustée dans son âme et dans son corps. Quant au petit gaillard, lui aussi appréciait les grands espaces, jubilant de s'éloigner à marche forcée des dominicains trop collants.

Un petit vaisseau nantais, moyennant une belle pépite (il en conservait encore une dizaine), accepta de le conduire à Saint-Jean-de-Luz, de l'autre côté de la frontière. En mer, à quelques milles du port, Anabia assista à un phénomène étrange. Le soleil rayonnait partout, d'est en ouest, du nord au sud, à l'exception des environs de la cité, comme si les rives de la Bidassoa formaient un écran opaque aux rayons solaires. Lourds de pluie, des nuages tournaient comme des toupies autour de la Rhune, la montagne du pays. Pourquoi Louis XIV, le 9 juin 1660, avait-il épousé ici la ronde Marie-Thérèse, infante d'Espagne ? La couleur de la mer était épouvantable, jugea Anabia. Porté par le besoin de courir et l'envie de gagner Paris au plus vite, il se jeta sur les quais, décidé à gagner Bordeaux à pied, puis, de là, Paris en chaise de poste.

Aux environs de Bayonne, il fut arrêté par un groupe de jeunes bergers errants. Il était tard. Rassurés par l'apparition d'un aîné, les vagabonds, quatre garçons et une fille, proposèrent d'établir un campement commun pour la nuit.

Dans un mélange approximatif de patois et de français, mâchant le pain du repas, ils racontèrent qu'ils échappaient à la fureur des dragons de Sa Majesté. En exil, comme leur chef, ils avaient une idée en tête : gagner le Portugal. Embarquer sur un vaisseau hollandais pour la région du cap de Bonne-Espérance, où l'on promettait aux huguenots un vrai paradis. Sous une montagne dite de la Table, ils cultiveraient des terres aussi belles que les pentes boisées où ils avaient grandi. Anabia, un instant, pensa à Joubert mû par le même rêve et se concentra pour écouter ses compagnons d'un soir.

Les camisards, puisque c'était une grappe de ces autoproclamés « enfants de Dieu » qui soupait en compagnie du prince d'Assinie, entretenaient depuis deux années un violent front intérieur contre les troupes de Louis XIV. Depuis 1685 et la révocation de l'édit de Nantes, des prédicants clandestins parcouraient les Cévennes pour restaurer le culte protestant. Sur les décombres de l'Église réformée, ils animaient les esprits par des discours millénaristes aux accents de fin du monde et de paradis retrouvé. Un mouvement puissant était né. Des centaines de jeunes bergers trouvaient refuge dans les grottes et les forêts de châtaigniers où, sous l'influence des voix célestes, ils entraient en transe, exactement comme en Assinie.

En représaille contre ces désordres, les persécutions faisaient des victimes par centaines, tuées sur les chemins, pendues dans les villages, suppliciées à la roue. Constitués en petites armées, les camisards se vengeaient. Le chef de guerre des compagnons d'Anabia était Jean Cavalier, un ancien apprenti boulanger. Il venait de se soumettre, mais, auparavant, que de faits d'armes ! À sa suite depuis deux années, les camisards parcouraient la campagne en chantant des psaumes et en incendiant églises, chapelles et presbytères. Pendant tout ce temps, les troupes royales, fortes de dix-huit mille hommes, n'étaient pas fichues de mettre la main sur des camisards six fois moins nombreux. Cavalier avait rendu les armes avec l'été, après la découverte de sa cache dans une forêt et le massacre de la moitié de ses troupes. Il s'était embarqué pour Londres, laissant dans son sillage une kyrielle de jeunes bergers, le pardon du roi en poche, candidats à l'exil sur les routes de France.

Au coucher, Anabia révéla qu'il était catholique. Cela jeta un froid, mais n'empêcha pas la jeune fille de se glisser sous sa couverture quand les respirations de ses compagnons signalèrent un profond sommeil. Elle fouilla dans son pantalon et prit son sexe au creux de sa main. Elle le caressa mollement, en riant, jusqu'à ce qu'il se décide lui-même à effleurer son pubis. Elle se mit sur lui, jouit assez vite en balayant dans la nuit les longs cheveux bruns qui retombaient sur sa poitrine. Il se délivra à son tour puis s'endormit blotti contre son dos, une main sur ses seins, l'autre sur son ventre. Il ronflait quand elle le quitta pour retrouver sa place.

Il ouvrit l'œil face à un ciel déchiré entre la nuit et le rose doré de l'aurore. Il lisait une promesse dans ce petit matin. Il fila vers le nord sans réveiller les autres.

Bizarre, c'était comme s'il ne s'était rien passé avec la jeune fille.

Chapitre XV

Bal tragique à Marly

DÉCOUVRANT PARIS, ANABIA BATAILLA FERME POUR NE PAS COURIR DANS LES BRAS DE MARGUERITE. Les mains crispées sur son couteau, il promit de ne filer à Versailles qu'après avoir accompli sa vengeance.

Par chance, il lui était impossible de savoir que sa bien-aimée était là, au cœur de la ville, à quelques pas de lui. Louis XIV, lassé des plaisanteries de la jeune comtesse, et en particulier de ses imitations de madame de Maintenon, l'avait chassée de Versailles. En toute logique, la nouvelle eût incité Anabia à se précipiter à ses pieds. À se comporter comme s'il n'était pas un clandestin, ce déserteur qui avait désobéi à la Compagnie de Guinée, et donc au Roi-Soleil. À prendre le risque de voir Marguerite se dresser entre lui et son cousin. Quelle folie. Cette escapade eût tout compromis.

À son départ de la cour, Marguerite, fidèle à son personnage, s'était écriée en public : « On s'ennuie si fort dans ce pays-ci que c'est être exilé que d'y vivre. » La cour avait hésité entre admiration et commérage. Ce renvoi ne masquait-il pas une conduite autrement plus scandaleuse ? D'abord intrigués, les courtisans avaient basculé dans une franche suspicion quand, sous la direction du père de La Tour, général de la congrégation de l'Oratoire, elle s'était faite dévote.

Pendant des mois, elle avait partagé son temps entre la prière et les bonnes œuvres. Elle jeûnait ordinairement et, depuis l'office du jeudi saint jusqu'à la fin du samedi, elle ne quittait pas la congrégation de sa paroisse, Saint-Sulpice. Sa piété était remarquable, mais pour agir ainsi, décidément, n'avait-elle pas beaucoup à se faire pardonner ? persiflait Versailles.

La fièvre des prières et des pénitences pouvait-elle l'absoudre du brasier des plaisirs et des joies du monde ? Était-ce vraiment si simple ? D'autant que de La Tour avait un vilain défaut. Haï des Jésuites, l'esprit ferme et pénitent, il passait pour janséniste. Madame de Maintenon s'était offusquée de voir sa nièce entre les mains d'un tel homme. Marguerite n'allait-elle pas définitivement se perdre ?

Le roi avait tranché. De bonne grâce, à la condition qu'elle quittât le malfaiteur, il avait augmenté sa pension de six mille livres à dix mille livres. Marguerite s'était séparée du père de La Tour pour un confesseur de Versailles. Loin de la considérer comme une pestiférée, on l'avait de nouveau conviée à toutes les fêtes. Mais aujourd'hui, c'était différent. Monsieur de Caylus, son mari, venait de mourir sur les frontières de Flandres. Endeuillée, elle séjournait chez sa belle-mère inconsolable. Loin des yeux d'Anabia.

Par la fenêtre de la chaise de poste, celui-ci voyait des enfants courir et glisser sur une fine pellicule de neige. Au coin d'une venelle, il entendit monter les voix hilares d'un groupe d'hommes. Bloquée par une charrette, sa voiture s'immobilisa et lui permit d'entendre les paroles d'une chanson. On vitupérait contre le ministre secrétaire d'État à la Guerre, grand trésorier du roi, Michel de Chamillart :

Notre père, qui êtes à Versailles, votre nom n'est plus glorifié, votre royaume n'est plus si grand, votre volonté n'est plus faite sur la terre ni sur l'onde. Donnez-nous notre pain qui nous manque de tous côtés. Pardonnez à nos ennemis qui nous ont battus, mais non à nos généraux qui les ont laissés faire. Ne succombez pas à toutes les tentations de la Maintenon et délivrez-nous de Chamillart.

Pied à terre, Anabia retrouva véritablement Paris. Le couplet l'amusait. Il sourit. C'était bien de poser ses bottes sur les pavés de la ville. Il y avait ici quelque chose de frondeur. On râlait, c'était parfois épuisant, mais sain, et drôle.

De nouveau, il était saisi par le rythme de la ville. On se déplaçait avec hâte, comme s'il y avait toujours quelque chose à faire. Loin de l'étourdir, cette rapidité diffusait une énergie et une volonté décuplée. Il retrouva les bruits… et une odeur qu'il chercha à identifier en fermant les yeux. Les déjections, le fleuve, les arbres, les chevaux, le fumet des repas, ce mélange formait un arôme particulier fixé dans sa mémoire. Anabia, filleul de Louis XIV, fils adoptif du roi Zuma, prince d'Assinie, aimait Paris comme un Parisien. Et ce, malgré le gris qui décollait du sol jusqu'au ciel.

Il traversa la Seine à hauteur du grand et petit Châtelet. Les forteresses abritaient, pour l'une la juridiction criminelle, pour l'autre une prison. Anabia, dans la peau d'un fugitif, pressa le pas. Son humeur s'inversa, son estomac se noua. Anxieux, il imagina que les passants devinaient son intention d'abattre un chevalier du roi, et qu'ils allaient tous hurler à l'assassin devant le petit Châtelet.

Figé devant les tours de Notre-Dame qui se dressaient derrière le Pont au Change, il s'apaisa. Il lui suffisait de parcourir trois cents mètres pour transformer en vérité le mensonge fait au révérend père Godefroy Loyer. La grâce ne lui avait commandé aucune prière. Mais ce n'était pas une raison. À l'intérieur de la cathédrale, il alluma un cierge en témoignage de sa reconnaissance au dominicain. La prière le détendit. Sa conscience était en paix. Tuer d'Amon s'imposait *perinde ad cadaver*, il obéissait comme les jésuites à saint Ignace de Loyola, dans la discipline et la soumission à ses supérieurs, c'est-à-dire ses ancêtres.

Il lui fallut dix minutes pour atteindre la rue du Petit-Lion où, espérait-il, vivaient encore madame et monsieur Barbier, le couple qui l'avait hébergé à son arrivée à Paris. L'échoppe du marchand de perles était close. C'était étonnant en plein après-midi. Il frappa à la porte et, après d'interminables minutes pendant lesquelles il eut tout le temps de craindre que son plan n'échouât, un vieillard apparut au seuil de la maison. Quand il aperçut Barbier avec son visage maigre et pâle, il se sentit tout ému. Il avait souvent dédaigné cet homme, bien qu'il fût son premier protecteur à Paris. Vieilli de vingt ans, les yeux exorbités, Barbier chevrota :

— Fils, tu es revenu.

— Comme je suis heureux, dit Anabia prenant dans ses bras le patriarche. Mais que s'est-il passé ?

— Je suis seul, fils, elle est morte, annonça-t-il d'une voix étranglée.

Le spectacle de cet être abandonné était terrible. Terrassé par la douleur, le marchand de perles vivait son deuil comme un animal domestique abandonné par son maître. Sa femme l'avait trompé cent fois, mille fois peut-être, mais ces trahisons n'avaient pas diminué l'intensité de ses sentiments. Elle n'était plus là. Pour lui, il n'y avait plus rien d'autre à faire que de mourir.

— Viens, entre, dit Barbier dans un sanglot. Je prépare un repas, monte dans ta chambre, débarbouille-toi et change-toi.

À l'étage, Anabia retrouva sa chambre et son mobilier intacts. En face du lit, il y avait le fauteuil en paille, le coffre et, sous la fenêtre, une table encombrée de papiers, d'une plume, d'un encrier et de vieux livres. Le tableau représentant les jardins de Versailles, celui qu'il avait admiré pendant toute sa jeunesse, lui aussi, n'avait pas bougé du mur.

Anabia redescendit revêtu de bas de soie, culotte et belle veste de courtisan. Il tourna autour de Barbier, hésitant, et finit par se planter devant son hôte.

— Je dois me venger. De quelqu'un qui a l'âme noire. Il a tué mon ami. Je dois le tuer à mon tour. L'ennui…

Le marchand de perles ne manifestait aucune réaction. Anabia haussa le ton.

— C'est qu'il s'agit du chevalier d'Amon. Je risque la mort si je me fais prendre. Et j'ai besoin de vous.

— De moi ? s'étonna Barbier, sortant timidement de son mutisme.

— Je ne peux apparaître à Versailles, on me soupçonnerait sitôt le crime découvert. Je veux que vous l'attiriez dans un piège. Dites que vous cédez vos perles en réserve. Il vient ici. Je le saigne et me charge du corps.

Long silence. Barbier était un fanatique des perles d'aigris, pierres précieuses qui servaient sur la Côte d'Or de monnaie et d'objets magiques. Les notables d'Assinie les portaient comme ornements jusque dans leur barbe. Elles étaient très demandées à Paris. Les artisans de Venise s'étaient mis en tête de les copier. Barbier, un expert, ne se faisait jamais rouler. À la cour, madame de Maintenon vantait son travail et la qualité de ses perles. Devant Anabia, il se gratta la tête et regarda ses mains tremblantes. Il tourna sur lui-même et, dos à son fils adoptif, déclara :

— Eh bien, l'affaire est ficelée. Mais pourquoi ne pas aller plus vite en besogne ? D'Amon est *de* Marly ce soir. Il y a bal. Nous pouvons l'occire là-bas.

L'empressement du vieillard surprit Anabia. Madame Barbier, chaude comme la braise, aurait-elle couché avec le chevalier ? C'était pour le négociant le seul motif de vindicte. Mais l'heure n'était pas à l'inventaire. Et lui-même était bien placé sur la liste. Non, c'était autre chose qui devait l'animer. Comme la simple envie de se distraire et de secourir un être cher.

Tout ce temps, Anabia avait voyagé avec son couteau, celui, symbolique, du sang. Il le remisa dans sa veste, s'alourdit d'une épée et partit en quête d'un coche.

Marly apparut en contrebas d'un vallon. Jamais Anabia ne s'était porté candidat à un séjour dans ce « palais de fées unique en Europe », selon le mot de Saint-Simon. L'endroit suscitait de grands enthousiasmes. Pour être d'un Marly, pour marquer son ascendant sur les autres courtisans en fanfaronnant : « Je suis du voyage », il fallait d'abord se faire connaître, marquer sa certitude d'en être digne, au risque de se ridiculiser si son nom était biffé.

La veille du voyage depuis Versailles, le premier valet de chambre du roi annonçait en public les noms des élus. Les recalés avaient commis la faute suprême, celle de la vanité. Le refus du roi marquait à jamais leur ambition au fer rouge. Marly figurait l'intime, le cercle privé, la pièce close où l'on s'abandonnait en confiance. Dans l'esprit du roi, Versailles était la France, sa grandeur, l'empire des hommes sur la nature, la puissance en tout. Marly était un relais de chasse, avec ses quatre cents jardiniers tout de même, ses fontaines somptueuses, une rivière artificielle faite de cinquante-deux bassins étagés en degrés et du Marbre partout.

Convié, retenu, honoré après sa brillante campagne d'Assinie, le chevalier d'Amon avait glapi dans tout Paris : « Je suis du voyage. » Le battage avait mis Anabia sur sa trace. Le coquin ne se vanterait plus longtemps.

Le coche fila sur une allée bordée d'arbres, puis longea un mur banal qui se courbait en demi-lune peu avant l'apparition d'une grille tout aussi banale surplombée des armes du roi. À l'entrée, Barbier exhiba le sauf-conduit délivré par madame de Maintenon. Madame XIV jugeait depuis des années que son petit trafic de perles ne pouvait pas attendre. Le marchand de la rue du Petit-Lion entrait comme dans un moulin à vent dans les résidences royales.

Le coche passa devant les logements affectés aux officiers et gardes du roi, atteignit une rotonde entourée d'arbres et de talus et gagna une allée tracée en chenal entre deux murs de terrasse. Le chemin pavé descendait si vite que le cocher, pieds en avant, tirant sur les rênes à les faire craquer, retint sans discontinuer son attelage. Il arrêta sa course dans une cour qui surplombait légèrement douze pavillons et un château.

À la lueur de flambeaux, Anabia distingua des enchaînements décoratifs épurés des déluges mythologiques de Versailles. Le style d'ici était plus délicat et plus léger. C'était celui d'un nouveau siècle.

Les rumeurs du bal s'envolaient du grand salon. La cour, malgré la guerre, tournait à plein régime. Les fêtes recouvraient d'écume un océan de misère. Quelques mois plus tôt, en dépit des massacres, les réjouissances pour la naissance du premier duc de Bretagne, fils du duc de Bourgogne, lui-même fils aîné du Grand Dauphin, dit Monseigneur, avaient donné lieu, à Paris, à un fantastique feu d'artifice sur la Seine et, à Marly, à de somptueuses réjouissances. Le nourrisson n'était que l'arrière-petit-fils de Louis XIV. Que leur prenait-il ? À mi-voix, Anabia récapitula à l'intention de son vieil ami :

— Le plan est simple. Vous mandez dans les vestibules le chevalier d'Amon. Vous lui affirmez qu'un Espagnol – oui, un Espagnol, c'est bien, cela épaissit le mystère – patiente dans votre voiture. Il vend des pierres et des perles à un prix très raisonnable. Afin qu'aucun lien ne puisse être établi entre lui et vous, vous l'attendez aux écuries. Compris ?

— Oui, acquiesça Barbier.

— Au fait, il a pour habitude de se travestir. Mais il n'osera pas. Non, pas devant le roi, pas à Marly. Nous l'attendrons aux écuries. La mort doit être donnée d'un seul coup. Nous transporterons le corps dans la voiture. J'affirmerai au cocher que cet homme est trop saoul pour marcher. Plus tard, je cacherai le cadavre dans Paris. Vu ?

C'était tout vu. Le marchand de perles descendit du coche et disparut dans l'excentrique nid royal. Anabia soupira bruyamment et caressa son fétiche du bout des doigts. On y était. Tant de chemin accompli – il s'imaginait avoir parcouru la distance de la Terre à la Lune –, et bientôt Shanga serait vengé.

Son cœur palpita de plus en plus fort, ses lèvres bleuirent et son menton trembla. Il avait peur. Depuis la razzia dans le village des larmes, il n'avait plus jamais tué. Il s'efforça de faire le vide dans sa tête et de fixer sa *bunga* sans penser à rien. Barbier l'interrompit dans ce désert mental. Il s'assit en face de lui et, paré des traits inexpressifs de l'homme au masque de fer, dit durement :

— C'est bon, dans une heure aux écuries.

Le cocher rangea la voiture à proximité de la seconde rotonde du parc. Anabia et Barbier gagnèrent à pied la cour des box placée juste derrière. Maintenant, il fallait attendre. Anabia savait jouer avec le temps, s'en moquer, le rétrécir, le dilater. Hagard, muré dans le silence, il s'absenta pendant une heure. Enfin, les deux hommes prirent position.

Barbier, masqué, se tenait debout au milieu de la cour. Anabia, le visage également dissimulé, était en embuscade dans une écurie. Le grand dadais n'allait pas lui échapper. Il lui sauterait dessus, arme au poing, comme on le faisait à la chasse au lion.

Anabia se posta dans sa cache et patienta un moment. Il entendit des bruits de pas et la voix du marchand qui bourdonna :

— Fils, sors une seconde. J'ai peur, donne-moi l'épée, on ne sait jamais.

Pourquoi pas ? Il n'avait pas besoin du fer. Il était déterminé à tuer avec le couteau du sang. Anabia quitta la pénombre et se retrouva face au canon d'un mousquet.

Le chevalier d'Amon tenait l'arme à feu entre ses mains.

— Mains en l'air, hurla-t-il.

Anabia comprit instantanément. Un sale abcès crevait. Sans méfiance, il s'était jeté dans les bras du négociant. Il avait raisonné au nom d'une fidélité plus ou moins établie. Du temps était passé depuis son arrivée à Paris. Seize années. Préférant la compagnie de Marguerite et des courtisans, il avait dédaigné les Barbier. Jusqu'à cet instant, il s'était imaginé qu'il avait été accueilli presque par charité, et adopté comme le fils que le sort avait refusé au couple. Mais c'était omettre que la Compagnie de Guinée payait pour sa chambre et sa surveillance.

Finalement, il n'était même pas permis de parler de trahison. Anabia revenait sur cette première impulsion. Il avait été inattentif. Un mouvement lui avait échappé. Avant leur crime, les traîtres formaient tous un mauvais rictus avec leur bouche, n'est-ce pas ?

— Et voici Judas qui livra Jésus à ses ennemis pour trente deniers, dit le chevalier en pointant du doigt son complice. Tu vaux plus, Anabia. Lui me coûte depuis toujours une petite fortune. Mais il me rapporte beaucoup. Et il a de l'esprit. J'ajoute que sa femme m'a bien récompensé.

— Vous, Barbier ! Mais pourquoi me vendre ainsi à mon pire ennemi ? Pourquoi ? articula Anabia qui continuait à s'adresser respectueusement à Barbier, comme on le fait face à un aimable aubergiste.

— C'est une histoire simple, vieille comme le monde, répondit d'Amon à sa place. J'ai assuré la fortune de votre ami en trafiquant de l'or et des pierres. Il me doit tout.

— Mais pourquoi ne pas l'avoir lâché ? Tout est fini pour vous, votre femme est morte.

— L'argent, on n'en a jamais assez. Ma mort signait la fin de sa richesse. Et l'avare veut amasser encore. Un vrai coup de chance que vous vous soyez adressé à lui. Souvenez-vous. J'ai quitté Assinie précipitamment.

— Pourquoi ce viol ?

— Il m'a résisté. C'est un peu de votre faute. Sur la plage, n'avez-vous pas prétendu que les garçons se donnaient facilement dans cette partie d'Afrique ?

Anabia fit un pas en avant, décidé à étrangler son adversaire.

— Pas un geste. Vous êtes trop curieux, prince d'Assinie. Il faut en finir. On va s'impatienter au bal. Pour moi, les réjouissances s'achèvent de bonne heure ce soir. Je poursuis le cerf demain à Fontainebleau. Adieu, conclut d'Amon d'un ton monocorde.

Les yeux du chevalier se figèrent dans ceux d'Anabia. Ils exprimaient une cruauté extraordinaire, emplie du désir et du plaisir de tuer. À ses côtés, Barbier était tétanisé.

Plein de dégoût, Anabia n'aspirait plus qu'à en finir. Le souvenir de Shanga s'effaça pour celui de Marguerite.

— Alors, qui est le plus fort ? jouit d'Amon en s'arc-boutant sur son chien de fusil.

Le coup partit en direction de la tête d'Anabia. Il s'étonna qu'un bruit pareil pût pétiller de toutes parts, autour et au-dessus de sa tête, comme dans une orgie de poudre. Il s'effondra et perdit connaissance.

Chapitre XVI

La mort du loup *(bis)*

LE TOMBEAU ? L'ÉTERNITÉ ? ANABIA S'ÉVEILLA AU MILIEU D'UNE FORÊT.

Très fatigué, il ne comprenait pas ce qu'il fichait sous les arbres. Il était à la fois glacé et bouillant, selon les parties de son corps. Il sentait un poison qui le contaminait depuis la tête. Il effleura son front. Le projectile avait touché l'extrémité du sourcil et frôlé le côté du crâne, ne le blessant que superficiellement.

Mais la blessure avait provoqué une douleur si intense que son cœur avait cessé de battre pendant plusieurs secondes. Cette petite mort lui avait sauvé la vie. Jugé froid par d'Amon, il avait été porté inconscient hors de Marly et abandonné aux bêtes sauvages.

Il se replia sur lui-même, domina son envie de dormir et ouvrit grands les yeux. Sa figure et ses habits étaient barbouillés de sang. Le traquenard lui revint à l'esprit. Il s'en était tiré par miracle.

Il se releva pour quitter la forêt. À découvert sur un chemin, quittant le voile protecteur des arbres, il sentit la pluie redoubler d'intensité. L'averse glacée qui tombait à grosses gouttes nettoyait sa blessure et aplatissait la crêpure de ses cheveux. Le jour s'évertuait à déchirer l'opacité qui fardait de gris le vallon de Marly. Il suffisait, à partir du château, de suivre la route en sens inverse pour regagner Paris.

Concentré sur sa soif de vengeance, plus ardente que jamais, et certain que sa blessure n'allait pas pourrir en infection, il se demanda comment rejoindre d'Amon au plus vite. Il conservait encore un peu d'argent sur lui – d'Amon n'avait même pas jugé bon de le dépouiller – et opta pour le coche.

Il fut au centre de Paris en deux heures. À midi, une voiture le déposait à proximité des grilles du château de Fontainebleau.

Une foule débonnaire piétinait dans la boue. Charretiers, lavandières et artisans vaquaient à leurs occupations. Anabia avait prévu de cheminer aux alentours des écuries royales pour glaner des nouvelles. Clémente, la rumeur lui épargna cette peine. « Ils chassent du côté des gorges de Franchard », disait-on.

Tout se savait à Fontainebleau, petite ville qui ne vivait que pour et par la cour. Quelques semaines étaient passées, mais on se remettait tout juste du traumatisme causé par le dernier séjour de Louis XIV. Le roi s'était attardé deux mois, et l'on avait puisé dans toutes les énergies de la ville pour nourrir, cajoler, vêtir, décrasser, purifier une cour en goguette.

Pas une journée ne s'était écoulée sans une chasse princière. Rien n'égalait, en gibier et en panorama, les bois de Fontainebleau. Ni Versailles ni Marly n'en supportaient la comparaison. Maintenant qu'il souffrait de la goutte, le roi suivait le rabattage en petite calèche à travers les avenues percées dans la forêt. Une véritable douleur pour celui qui, depuis son sixième anniversaire, jouait dans ces bois extravagants.

Le château n'avait pratiquement pas changé depuis les travaux effectués par sa mère, Anne d'Autriche. L'ensemble n'était pas adapté à l'incessant va-et-vient des courtisans, mais l'atmosphère surannée, pleine de charme, rachetait son côté impraticable. On piétinait dans une maison de famille, celle du repos, dans un temps suspendu, et il n'y avait rien de fâcheux – c'était même épatant à l'aube d'un nouveau siècle – à embrasser les murs des ancêtres.

Entre les siestes, l'œil se reposait. L'éclat des dorures de Versailles, ses glaces, son Marbre cédaient au bois franc des parquets et aux teintes délicates des tapisseries. On malmenait l'étiquette. Les horaires étaient moins serrés, les jeux de billard s'éternisaient, on se relâchait dans des rires sonores. Madame, princesse Palatine, se régalait. Elle jugeait ses appartements en meilleur état que ceux du roi et piaffait de joie dans sa solitude retrouvée. C'était bien simple, affirmait-elle : « Dans ma chambre, je n'ai plus que neuf chiens. »

Nombreux étaient les courtisans qui attestaient que l'endroit avait des vertus médicales. Ils se sentaient en bien meilleure santé à leur retour à Versailles. Un Versailles flambant neuf, d'ailleurs, car les semaines passées à Fontainebleau étaient l'occasion du grand ménage du cloaque de la cour.

Plus qu'un séjour, Fontainebleau était un « voyage », car tel était le mot utilisé. Le déplacement s'effectuait en deux traites, avec une halte à Petit-Bourg, au château du duc d'Antin, ou à Villeroy, chez le maréchal. Si, dans l'usage, Versailles était à mille lieues de son désuet cousin, la distance qui séparait les deux mondes n'était que de quinze lieues. À tous les coups, le « voyage » prenait la forme d'une expédition militaire. C'était une déferlante non seulement de courtisans qui assaillaient le bourg royal pour s'installer dans un ensemble compact d'hôtels « princiers et de maisons particulières », mais aussi de charrettes par centaines bourrées de mobilier. Le château était à moitié vide en morte saison. Avisés du « voyage », les garde-meubles de la couronne entassaient dans les carrioles tout ce qu'il fallait de fauteuils, tables, lits ou horloges.

Vaste et sauvage au commencement du règne de Louis XIV, la forêt se domestiquait au fil des ans. Pour chauffer, nourrir, bâtir Paris et ses environs, on la trouait, on la grignotait de partout. À mesure que les troncs descendaient la Seine, les clairières jalonnaient les promenades.

Heureusement, l'aventure était au rendez-vous sitôt franchies les lisières. À moins d'une heure de marche, on se perdait dans un domaine désolé et farouche. C'était le cas des gorges de Franchard, où chassait un équipage princier.

Franchard : le nom seul faisait rêver. On ne connaissait pas, aux environs de Paris, paysage plus torturé et escarpé. En ce monde traversé de pesants abrupts, les eaux étaient emprisonnées dans de petites mares brodées de mousse. Il n'y avait pas d'équivalent, sinon Brocéliande, ce théâtre enchanteur du grand Merlin.

L'existence d'un petit monastère renforçait l'impression qu'une force divine habitait les gorges. Les rites païens avaient trouvé ici un temple naturel, comme à Carnac, en Bretagne. Quatre siècles plus tôt, l'ermite Guillaume y avait établi son camp. Sa fontaine, croyait-on encore, guérissait les maladies des yeux. Les moines avaient repris la chapelle aux idolâtres. Cela n'empêchait pas Fontainebleau d'échafauder de drôles de superstitions, comme si le diable avait figé dans la roche ses lieutenants, comme si, prenez garde, messieurs les audacieux, l'endroit exposait à l'envoûtement.

Les loups eux-mêmes évitaient la place.

Anabia quitta la ville à petites foulées. À l'orée du bois, au pied de la « montagne », c'était ainsi que l'on désignait les crêtes rocheuses, il croisa un couple de laboureurs. La femme, visage basané de crasse, lui confirma que l'équipage d'un prince, celui de Monseigneur, elle était formelle, chassait à courre dans les gorges de Franchard. Elle tenait la nouvelle d'un postillon du devant de l'attelage, un petit page d'une dizaine d'années, jeune garçon élevé en gentilhomme, choisi, comme ses compagnons, pour sa belle mine et sa noblesse.

Anabia s'enquit de la force de l'équipage. L'homme fit un décompte précis de la suite princière. Il s'exprimait avec dévotion, soulignant son attachement à la cour et à Sa Majesté. Cet attachement était plutôt rare dans les campagnes de France, mais en même temps compréhensible : de règne en règne, les paysans de Fontainebleau jouissaient d'importantes réductions d'impôts et de droits d'exploitation de la forêt. Ces privilèges les consolaient des terres saccagées par les chevauchées des chasseurs, les désordres des cerfs et autres sangliers affolés par les meutes. L'homme exprimait sa reconnaissance. L'injustice ne régnait pas partout.

Anabia avançait sur le sable d'une mer morte. La terre sablonneuse ne lui était pas étrangère. Elle ravivait en lui le souvenir de la lagune, ce tapis mêlé de boue et de plage. L'écorce blanche des bouleaux l'accompagna jusqu'à la découverte d'une clairière. Le sentier était tordu, mais la route des gorges facile à repérer. Droit devant.

À présent, les formes des rochers nourrissaient son imagination. Fantaisies de la nature ou travail de forçat ? Dans ce cas, les druides avaient bien œuvré. Le grès, formé de milliards de grains de sable, épousait la forme de dragons pétrifiés, de nymphes étranges et de spectres inquiétants. Le genévrier et la bruyère habillaient les pitons rocheux de couleurs automnales. La silhouette des arbres se tordait étrangement. La sécheresse du sol obligeait les racines à serpenter à travers le sable et les roches.

Anabia courait d'une foulée alerte. L'angoisse de rater d'Amon décuplait sa vitesse. Mais soudain, il stoppa net : un éléphant de pierre se dressait devant lui, posé sur le sable. Intrigué, il tourna autour du monolithe, et en caressa la tête. La curiosité céda la place au doute, puis à l'appréhension. Que venait faire sur son chemin ce rocher incroyable ? La symbolique était lourde, et pas seulement par sa masse !

Sur la côte de Guinée, des montagnes ou des arbres choisis pour leur forme représentaient un fétiche. Il n'avait jamais rien vu de semblable au royaume de France. Et voilà qu'une amulette aux proportions géantes, à la mesure de ce qu'il allait accomplir, un meurtre décuplé par la douleur et la colère, surgissait devant lui !

Dans le doute – mais il n'avait pas de temps à perdre en hypothèses – il joignit les mains en prière, leva les yeux au ciel et répéta à plusieurs reprises le nom du Dieu créateur de toutes choses : *Anguioumé, Anguioumé Anguioumé, Anguioumé…*

Pour se concilier les bonnes grâces du fétiche, pour entrer en connivence avec lui, il était sage de lui faire une offrande. Au village, quand on cherchait la pluie, on offrait une cruche vide ; pour le poisson, des arêtes ; pour la guerre, des armes. Anabia voulait égorger d'Amon. Il leva une main à hauteur de son crâne, griffa avec ses ongles sa blessure mal cicatrisée, et répandit son sang sur les flancs de l'éléphant.

S'éloignant du rocher, il pensa à Zuma, son père adoptif. Le vieux roi avait fait de l'éléphant l'emblème de son règne. Il ne quittait jamais une canne dont le pommeau doré représentait l'animal sculpté. Combien de fois Anabia l'avait-il entendu dire gravement : « Seul l'éléphant peut déraciner un arbre » ? Ce qui signifiait pour lui : « Seul le chef domine son royaume. »

Anabia bondissait dans le défilé des blocs torturés en ressassant l'idée que nul ne pouvait s'opposer à un homme déterminé.

Pas même d'Amon, le diable en personne ?

Au détour d'un rocher en forme de champignon, apparut un plateau, ou une arène antique, Anabia ne savait plus très bien. Un peu avant les gorges, une clairière révélait la demeure des moines. À peine plus loin, une tente était dressée, refuge probable des chasseurs.

Anabia s'approcha du campement, décida de faire son repaire d'un lacis de branches, et s'assit par terre pour réfléchir. Le chant obsédant des coucous perturbait ses pensées. Il tâcha de se concentrer, d'oublier ce rythme enjoué, agaçant et incongru dans sa situation. Il cherchait un plan, autre chose que cette irrépressible envie de sauter sur son adversaire, de l'achever d'un coup à la gorge, au risque de se livrer aux chasseurs et de finir sur le gibet. Autrement dit, comment attirer d'Amon à l'écart et lui signifier, droit dans les yeux, sa mort imminente ?

Au loin, un cerf déclara sa passion pour sa harpaille. Combien de biches pour une telle ardeur amoureuse ? Mais il bramait avec retard sur la saison galante. Anabia en déduisit que la bête, dans les gorges de Franchard, hurlait sa défaite : point de rut dans les profondeurs, mais l'écho de la mort, le cri de la victoire pour d'Amon et ses compagnons.

Comme il s'y attendait, la meute, suivie de l'équipage, remonta du fouillis calcaire en direction de la tente où l'on servait la collation. C'était le moment d'agir. Dix cavaliers, pas davantage, passèrent à proximité de son repaire. D'Amon était bien du nombre ! Dans le silence retrouvé, une idée balaya tous ses doutes. C'était évident. Difficile, mais évident. De toute façon, il n'y avait aucune autre solution.

Anabia gagna le monastère sans se faire remarquer des chasseurs attablés sous la tente. Les religieux étaient occupés dans leur réfectoire. À l'étage, il fureta dans tous les coins. Ses pas étaient légers, il marauda d'un coffre à l'autre et, enfin, la chance lui sourit. Une pièce de grosse étoffe brune était pliée dans une caisse. C'était une robe de bure ordinaire, pourvue d'une capuche. La démarche aérienne, il déguerpit du sanctuaire. C'est en habit de moine qu'il se présenterait au chevalier d'Amon.

Il attendit un moment que l'équipage émergeât de son refuge. Braillard, d'Amon gagna son cheval attaché à un arbre. Anabia, parfaitement méconnaissable sous son déguisement, s'approcha de lui. Changeant sa voix, il lui parla en ces termes :

— Mon fils, permettez que je vous conduise dans notre chapelle avant votre départ. Il est de tradition, ici, qu'un homme désigné par notre Seigneur prie un instant pour le salut de tous. Mes pas m'ont guidé jusqu'à vous. C'est ainsi.

D'Amon, surpris, recula d'un pas. Il était oppressé, Anabia l'entendait à sa respiration.

— Nous t'attendons, le rassura un cavalier à ses côtés.

— Alors, suivez-moi, dit le faux moine.

Le sentier s'enroulait entre les récifs jusqu'au monastère. Peu avant d'y parvenir, un passage se formait en contrebas d'un bloc si massif que les deux hommes disparurent de l'horizon. C'était l'endroit pour frapper, vite.

Anabia se retourna à la vitesse de la foudre et plaqua sa main sur la bouche de d'Amon. Dans le même mouvement, il planta son poignard dans la cuisse de son adversaire et remua dans la chair comme on pétrit le pain. Il voulait paralyser de douleur sa victime, ne pas la tuer, pas maintenant.

Sa main était engluée sur la bouche du chevalier. Son corps s'agitait en tous sens, mais pas un cri, pas un souffle ne filtrait de ses lèvres, seules les narines frémissaient.

Anabia observa les environs. Personne. Une main toujours collée au visage de sa victime, l'autre la maintenant fermement à la taille, il entreprit de la traîner jusqu'au sommet des gorges. Jamais il n'avait senti une telle force en lui. Ses muscles saillaient sous la bure, il se prenait pour une bête de somme, heureuse de la légèreté du fardeau.

Dans la descente, sa main remonta du buste à la tête du chevalier d'Amon. Ce fut bientôt par les cheveux qu'il le traîna. Mais il lui reprit la poitrine, on n'avançait pas bien comme ça, et les pieds rebondirent de plus belle sur les pierres.

Les rochers renouaient avec leur spectacle d'imitation. Les deux hommes longèrent une tête de diable, puis une sorte de dromadaire et la houppe bizarre d'un oiseau. On courait depuis un moment ; on était loin. Anabia jugea qu'il pouvait s'arrêter sur une terrasse de pierre suspendue devant une grotte. Il reprit son souffle et noua un bâillon de chiffon sur la bouche de d'Amon.

Le dos calé contre la roche, halluciné de douleur et de terreur, le chevalier tremblait de tous ses membres. Il allait mourir. Une bande de loups parcouraient la forêt. La meute se régalerait de son cadavre.

Le couteau devant son visage, Anabia ôta sa capuche.

— Ah ! cria-t-il. Un fantôme. Sa Majesté en a bien vu dans la forêt de Saint-Germain. Voici Anabia, revenu d'entre les morts.

Il n'avait pas l'intention d'enchaîner les traits d'esprit. Se jouer de son ennemi lui ferait perdre du temps. Il voulait en finir rapidement. Il voulait ouvrir la gorge du condamné.

Sans perruque, d'Amon était vraiment répugnant. Mais...

Maintenant qu'il l'avait en face de lui, à sa merci, que s'enchaînaient les scènes de violence, il douta de sa réplique. La laideur du visage ne lui donnait pas envie de s'acharner. L'éléphant de pierre, puis les images de Bossuet et de Loyer s'imposèrent à lui. Qu'avait-il appris, depuis toutes ces années ?

L'invocation de Dieu, des esprits – qu'importe, cela revenait au même –, cette invocation-là, donc, pour tuer des êtres humains, lui sembla immorale et contraire à sa foi.

Se venger, et après ? Porté par sa douleur, devait-il ensuite torturer Barbier, ce traître ? Était-il pensable que Dieu, *Anguioumé*, disaient les siens, commandât de s'entre-tuer ? N'était-ce pas se substituer à Lui, commettre même un péché terrible en retirant la vie, cette vie qu'Il avait voulue et accompagnée ? Le propre de l'homme était-il, pis que l'animal sauvage, de détruire ici-bas ce qui lui ressemblait le plus ?

« Tue-le ! », crièrent encore dans son cerveau les voix mêlées de Shanga et de Joubert, celle-ci moins audible. « Égorge-le ! »

La main crispée sur le manche du poignard, Anabia agita la lame devant la sale figure de d'Amon. La veille, le chevalier avait échoué à lui donner la mort. Il n'allait pas le rater, lui.

Ou autre chose.

Il fixa son ennemi droit dans les yeux, lui ouvrit démesurément la bouche et lui trancha la langue d'un coup de lame. Puis il l'abandonna dans sa pisse. Il s'enfuit au plus profond des gorges. Il graciait un muet.

Épilogue

Six mois plus tard…

DEVANT LA MÉDITERRANÉE, DEVANT LES VAGUES VIOLETTES IRISÉES AU COUCHANT, Anabia pensait sans mélancolie aux bassins, canaux et fontaines de Louis XIV. L'eau marquait sa vie. Depuis longtemps, il avait refoulé au loin l'image du Grand Canal. Il courut dans la mer. Les baignades, à chaque fois, lui étaient comme un nouveau baptême, une nouvelle vie.

Il devait se dépêcher. On l'attendait pour la représentation. Sautillant dans les rochers, il répéta les paroles de l'église : « Je te baptise dans l'eau, mon frère, et plus puissant sera celui qui viendra après moi. » Sous les montagnes gorgées de rouge vif, il dévora du raisin, puis des figues blanches et sucrées. Partout autour de lui, il retrouvait des sensations d'enfance. Son corps, décidément, avait une bonne mémoire.

Heureux, il étendait sa passion à Marseille tout entière. La ville l'avait accueilli par hasard. De Fontainebleau, il s'était engouffré dans une diligence jusqu'à Lyon. En route, il avait fini par admettre qu'il allait bien, très bien même, et qu'il avait besoin de prendre l'air, de quitter enfin le monde cadenassé de la Compagnie de Guinée. Cette pieuvre qui s'étendait de la cour de France au royaume d'Assinie.

Il était arrivé à Lyon au onzième jour de son voyage. Il s'y était reposé trois jours avant d'embarquer sur le Rhône. Le paysage changeait à Valence. Devant lui s'était ouvert un autre monde. Le vent chaud lui rappelait les sécheresses de son enfance. Le soleil avait cette même intensité que dans la savane africaine, et l'ombre la même douceur délicate. En forêt, les rayons passaient au travers des feuilles et éclairaient les pinèdes d'une lumière chaude. Bientôt, l'odeur des pins s'était mêlée à celle de la mer. Soudain, il y avait eu le joli mouvement d'une mouette et une sensation incroyable de liberté. Il était épuisé par des mois de route. « C'est ici que je m'arrête », avait-il dit, reprenant les paroles de son père à son arrivée en Assinie.

À Marseille, il avait obéi pendant tout un été à un rythme naturel : nager, se promener, manger. À la dernière pépite, il avait décidé de gagner sa vie. Il n'avait pas été long à rejoindre sur le port une troupe de marionnettistes italiens. Après leur représentation, et plusieurs jours durant, il les avait suivis de loin en loin. Puis il s'était décidé. Lui aussi voulait raconter une histoire. Il avait même un titre pour la pièce : *Prince Ébène*.

Les compagnons l'avaient écouté, puis serré longuement dans leurs bras après qu'il eut montré sa *bunga* et expliqué que sa marionnette devait lui ressembler : elle représenterait un prince d'Afrique un peu perdu à la cour de France.

Il vivait maintenant avec ses compagnons dans un hôtel particulier loué, près des quais, à un original. Et il jouait son rôle chaque soir.

Il entra essoufflé dans la belle demeure. Comme toujours, il nota la beauté du vestibule et les proportions d'un grand perron qui ouvrait sur des chambres bien meublées. Il s'arrêta dans l'ombre, intrigué par une silhouette. Il y avait une femme dans le salon. Il s'approcha, s'approcha encore, et interrogea, haletant :

— Marguerite ?

Sources et remerciements

D'UNE HISTOIRE VRAIE, J'AI VOULU FAIRE UN ROMAN. Je me suis efforcé de pratiquer ce qu'Aragon appelait le « mentir vrai », c'est-à-dire des variations dont le « mentir » se nourrit et, qui sait, éclaire notre passé. Chacun appréciera cette plongée dans l'histoire, mais je revendique, puisque ce texte est destiné à des lecteurs du XXIe siècle, une certaine liberté d'adaptation.

En priorité, je suis particulièrement reconnaissant à Anabia lui-même, personnage ayant existé, comme il est précisé en début d'ouvrage. Si la chronologie de sa vie a été scrupuleusement respectée, si les grands événements de son existence, comme son baptême, son entrée chez les mousquetaires, la remise d'un ordre chevaleresque, son retour en Assinie et la débandade qui s'ensuivit sont vérifiables, les autres épisodes de ce roman sont purement imaginaires.

Tous les récits de voyageurs convergent : la trace d'Anabia s'est perdue en Afrique sitôt le départ des Français de son royaume. Seule piste : un explorateur hollandais prétend que, abandonné au Togo par un navire alors qu'il tentait de regagner Versailles, il acheva sa vie comme conseiller du roi de ce pays.

Au passage, quelques mots d'Assinie, après le départ d'Anabia, ou Aniaba, c'est comme vous voulez. Paul Roussier nous livre la destinée du comptoir français à partir de 1706 :

« Les vaisseaux attendus depuis si longtemps étaient arrivés. Trois marchands, et un de guerre. Le commandant de l'escadre, monsieur de Grosbois, en fait de secours, donna ordre aux survivants de s'embarquer à son bord. Il ne leur laissa pas le temps d'emporter avec eux le peu d'objets qu'ils possédaient encore. Niamkey fut rudement reçu. On ne lui accorda aucun présent. Les Assiniens, irrités du départ des Français, s'emparèrent du fort et de ce qu'il renfermait. Pendant plus d'un siècle on ne fit plus attention à l'Assinie. En 1843, Fleuriot de Langle, commandant de *la Malouine*, reprit pied sur le rivage. Comme jadis d'Amon, il signa le 4 juillet un traité avec les rois Atacla et Aigiri. Gentiment, les souverains, l'un "de la plage" comme il se nommait, l'autre "de l'intérieur", rappelèrent l'amitié et l'alliance qui avaient existé de tout temps avec la France. Ils se rangeaient sous l'autorité de Louis-Philippe et concédaient "la possession pleine et entière de tout leur territoire avec le droit d'y arborer ses couleurs, d'y faire tel bâti ou tel fort qu'il jugerait convenable". »

Aux lecteurs curieux de la suite des événements, il appartient de se référer à l'histoire de l'actuelle Côte d'Ivoire.

Mais revenons aux sources de ce livre. Peu d'ouvrages mentionnent l'existence d'Aniaba. J'ai retenu :

– Paul Roussier, *L'Établissement d'Issigny 1687-1702*, voyages de Ducasse, Tibierge et d'Amon, suivis de *Relation du voyage du royaume d'Issiny de P. Godefroy Loyer,* Paris, librairie Larose, 1935.

– Henriette Diabaté, *Aniaba, un Assinien à la cour de Louis XIV*, collections grandes figures africaines, ABC éditions, Bibliothèque nationale, cote 16°03v293 (6).

– Révérend père Labat, *Voyage du chevalier des Marchais en Guinée*, tome 1, p. 240 à 247, bibliothèque de l'Institut de France, cote DM 805.

Roman historique, *Prince Ébène* s'est nourri d'ouvrages de référence, de dialogues, d'anecdotes ou de courriers adaptés pour sa mise en scène.

Nous avons emprunté à Marie Marguerite le Valois de La Villette de Murçay, comtesse de Caylus, le personnage de Marguerite. La belle a bien vécu, de 1673 à 1729, a multiplié les aventures et, ma foi, pourquoi ne pas imaginer Anabia comme l'amour véritable de sa vie ? Elle laisse pour les lecteurs curieux de son histoire des *Souvenirs*, (bibliothèque de l'Institut de France, cote 8Y29) et une correspondance intime échangée avec sa tante, madame de Maintenon, et madame de Dangeau (Albin Michel, 1998).

Merci à Alfred de Vigny pour *La Mort du loup*, dont Anabia reçut un extrait, en anticipation, dans le chapitre 2 (Georges Pompidou, *Anthologie de la poésie française*, GLF, 1984).

De Saint-Simon et ses *Mémoires sur le règne de Louis XIV* sont tirés l'apparition de la Dame blanche au chapitre 8 et les exercices divinatoires du duc d'Orléans du chapitre 9 (coll. « Mille et Une Pages », Flammarion, 2000, pp. 120 et 344).

Jean-Christian Petitfils et son *Louis XIV*, où figure un extrait des instructions de Louis XIV au duc d'Anjou (p. 585), m'a permis d'imaginer le rôle d'Anabia dans la succession d'Espagne (Perrin, 1995).

Françoise Chandernagor restitue merveilleusement l'atmosphère de la cour. Je me suis imprégné de *L'Allée du roi* et je lui ai emprunté la chanson du chapitre 15 (Livre de Poche, 1999, p. 153).

Remerciements, également, à Denis Lorieux et son *Saint-Simon* (Perrin, 2001), pour les descriptions de Marly. À Yvonne Jestaz pour *Louis XIV à Fontainebleau* (Presses du Village/C. de Bartillat, 1998). Sans oublier Xavière Gauthier, *Naissance d'une liberté* (Robert Laffont, 2002), ouvrage sur l'histoire de l'avortement, source principale du chapitre premier.

Mais, plus que tout, je veux dire merci à celles et ceux qui m'ont encouragé à plonger dans l'aventure d'un premier roman.

Caryl Ferey, mon complice, m'a offert une aide précieuse en déchiffrant le premier jet de ce travail et en relevant ses longueurs. Claire Dédéyan, mon amie, impitoyable et tendre, m'a invité à embrasser plus largement le champ romanesque. Antoine Audouard a su me lire avec une générosité que je n'oublierai pas. Quant à Alain Noël, mon éditeur, j'aimerais lui exprimer ici toute ma reconnaissance, tant sa maison et son équipe me semblent animés de curiosité, d'enthousiasme et de savoir-vivre, qualités bien rares à Paris en ces temps triomphants d'une « édition sans éditeur ».

Mes remerciements chaleureux vont aussi au directeur et fondateur des éditions Asa, Thomas Renaut, qui, à travers son ouvrage *Bassam*, m'a mis sur la piste d'Aniaba. Que Marie Malagardis et Pierre Sanner, les messagers, trouvent eux aussi en ces lignes toute mon amitié.

Ne sont pas oubliés, pour les recherches, les personnels de la bibliothèque historique de la Ville de Paris (tous ne se valent pas dans l'amabilité !), la Bibliothèque nationale de France, ainsi que la formidable bibliothèque du Saulchoir, rue de la Glacière à Paris.

L'Afrique ne peut être tenue à l'écart de ces pages. À seize ans, au Burkina Faso, j'ai vu les prémices d'un continent heureux, à mille lieues des tragédies relayées par nos journaux. Je me souviens du capitaine Thomas Sankara, son président. Je n'oublie pas son : « Donnez-nous une aide qui nous permette de nous passer de votre aide. »

Pour leur compagnie pendant ces mois d'écriture, merci, principalement, à Jean-Louis Murat, Noir Désir, Christophe et Radio Classique.

Enfin, bravo à Laurence, ma cavalière. *Prince Ébène* nous a volé du temps. Mais nous nous rattraperons.

Table

Impression réalisée sur CAMERON par

BUSSIÈRE CAMEDAN IMPRIMERIES

GROUPE CPI

à Saint-Amand-Montrond (Cher)
en mars 2003

Composé par Nord Compo
à Villeneuve-d'Ascq

N° d'édition : 909. N° d'impression : 031387/1.
Dépôt légal : mars 2003.

Imprimé en France